新潮文庫

村上海賊の娘

第一巻

和田竜著

目次

登場人物

織田信長が室町幕府最後の将軍、足利義昭《あしかがよしあき》を奉じて京に旗を立て、西に勢力を伸ばそうとしていた頃のこと。時は天正《てんしょう》四年（一五七六年）、比叡山《ひえいざん》焼き討ちから五年、武田軍を粉砕した長篠《ながしの》合戦の翌年に当たる。信長と大坂本願寺の戦いは七年目を迎えていた。

【村上家】

村上景《むらかみきょう》　悍婦《かんぷ》にして醜女《しこめ》。嫁の貰《もら》い手がない当年二〇歳。

村上武吉《たけよし》　景の父で、能島《のしま》村上家の当主。瀬戸内の大半を勢力下におさめ、村上海賊を最盛期に導いた。

村上吉継《よしつぐ》　来島《くるしま》村上家の重臣筆頭。直情型の毛むくじゃら。

村上吉充《よしみつ》　因島《いんのしま》村上家の当主。世渡り上手の優男《やさおとこ》。

村上元吉《もとよし》　景の兄。勤勉謹直で家臣に厳しく当たる。

村上景親《かげちか》　景の弟。逃げ足の速い臆病者《おくびょうもの》。

【毛利家】

小早川隆景《こばやかわたかかげ》　亡き毛利元就《もうりもとなり》の三男。甥《おい》にあたる現当主毛利輝元《てるもと》を補佐《ほさ》。秀吉や家康ら天下人も認める頭脳の持ち主。

乃美宗勝《のみむねかつ》　小早川隆景の重臣。警固衆《けごしゅう》（水軍）の古強者《ふるつわもの》で、主人に遠慮のない禿《は》げ頭。

児玉《こだま》就英《なりひで》　毛利家直属の警固衆の長。色白の若き美丈夫《びじょうふ》。気位が高い。

【織田方】

眞鍋《まなべ》七五三兵衛《しめのひょうえ》　大坂本願寺を攻める眞鍋海賊の若き当主。剛強無双の巨漢、怪物。

眞鍋道夢斎《どうむさい》　七五三兵衛の父。泉州《せんしゅう》における眞鍋家躍進の立役者。坊主頭の大入道。

沼間《ぬま》義清《よしはる》　泉州を束ねる触頭《ふれがしら》、沼間任世《ただよ》の息子。眞鍋家の台頭に危機感を抱く。

松浦《まつら》安太夫《やすだゆう》　沼間家と同じく泉州の触頭。「悪たれ兄弟」の弟。南瓜《かぼちゃ》顔。

寺田《てらだ》又右衛門《またえもん》　「悪たれ兄弟」の兄。糸瓜《へちま》顔。

原田《はらだ》直政《なおまさ》　織田家の重臣。大坂本願寺攻めの総大将。

【大坂本願寺】

顕如《けんにょ》　一向宗《いっこうしゅう》本願寺派第十一世門主《もんしゅ》。信長と対立。

下間《しもつま》頼龍《らいりゅう》　顕如の側近。門主の権威を笠《かさ》に着る。

源爺《げんじい》　安芸《あき》高崎《たかさき》の百姓。一向宗門徒。

留吉《とめきち》　源爺の孫で、一向宗門徒。口の達者な少年。

鈴木《すずき》孫市《まごいち》　鉄砲傭兵《ようへい》集団、雑賀党《さいかとう》の首領。

村上海賊の娘

第一巻

序章

1

　はじめ、

「大坂」と表記されていたこの地が、いつごろから現在、使われている「大阪」の文字を宛《あ》てるようになったのかは判然としない。

「大阪」の表記が登場するのは江戸期に入ってかららしい。表記の仕方よりも音《おん》を重視する当時のことである。「大坂」も併用されていた。

従って、戦国時代の「オオサカ」は、「大坂」である。しかしこの当時、現在の「大阪」が示す一帯は、一般に「難波《なにわ》」と呼ばれていた。

となれば「大坂」の文言《もんごん》は、どこを指すのか。

戦国時代、「大坂」が指し示すのはただ一つの場所しかない。

一向宗《いっこうしゅう》（現在の浄土真宗あるいは真宗）本願寺《ほんがんじ》派の本山、大坂本願寺である。現在の大阪城が腰を据《す》えるまさにその場所だ。

（終わったな、大坂も）

戦国時代、天正《てんしょう》四年（一五七六年）四月半ばの未明のことである。紀州（和歌山県）雑賀《さいか》の鉄砲傭兵《ようへい》集団、雑賀党《さいかとう》の首領《しゅりょう》、鈴木《すずき》孫市《まごいち》は、大坂本願寺の城壁を思わせる塀から外を見渡し、眉間《みけん》の皺《しわ》を深くした。

（あの男に会わねば）

満月に近いが、雲の多い夜だった。孫市が凝視する外の一点は、まるきりの暗闇《くらやみ》である。その暗闇から視線を外すと、踵《きびす》を返して一方へと向かった。

大坂本願寺の広大な境内《けいだい》は、昼であれば白洲《しらす》の小石で真っ白に輝く。未明に白洲を踏み進める孫市は、小石の軋《きし》む音だけを聞きながら、薄明かりに朧《おぼろ》に浮んだ境内を見渡した。

（あの男、どこにいる）

本願寺十一世門主《もんしゅ》、顕如《けんにょ》のことである。このとき、三十三歳であった。

三十半ばの孫市は、一向宗の信者すなわち門徒を率いるこの男を、ただの同年代の者としか見ていなかった。その男にすぐにでも会わなければならない。

（またぞろ、辛気《しんき》臭《くさ》い阿弥陀堂《あみだどう》か）

前方の巨大な建物の影を見上げた。阿弥陀堂には一向宗の本尊、阿弥陀如来《にょらい》が安置されている。その下に目を移すと、しずしずと蠢《うごめ》くもったいぶった男の影があった。

（あいつかよ）

孫市は、さらに眉間の皺を深くして、

「頼龍《らいりゅう》！」

と呼んだ。

顕如の坊官、下間《しもつま》頼龍である。

坊官はいわば側近で、仏事以外の俗事について顕如に取り次ぐ役目である。古来、このような者には権力が集まりやすい。頼龍という男もそれを充分認識し、かつ大いに利用していた。

「誰じゃな」

と、頼龍は声のした方に顔を向けた。ひたひたと歩み寄ってくる孫市の影を、顎《あご》をこれでもかと上げて見やっている。

（頼龍の奴《やつ》、声だけはいいな）

鼻先ごしの視線を感じながら、孫市は内心そう苦笑した。

頼龍の出自《しゅつじ》である下間一族は、代々、本願寺門主の仏事と俗事を補佐してきた。仏事に関わる場合は日々の勤行《ごんぎょう》にも携わり、一向宗の宗祖、親鸞《しんらん》の著作を暗誦《あんしょう》したりもするため、幼少から小原流声明《しょうみょう》を習得させられたという。頼龍もまた、いまは俗事に与《あずか》り勤行には関わらないものの、幼いころは発声の特訓を受けたものらしい。

「俺だ、孫市だ」

怒鳴《どな》るように返答すると、頼龍の影は軽侮《けいぶ》の色を交えて注意してきた。

「石畳を歩け、石畳を」

掃き清められた白洲を乱すなというのである。

(こいつ)

孫市が怒気を発すると、頼龍の影は姿形となって目の前に現れていた。思った通り、必死になって顎を上げていた。

頼龍は僧形《そうぎょう》である。頭を剃《そ》り上げ、法衣《ほうえ》を纏《まと》っていた。ただ通常の僧と違うのは、頼龍が腰に刀を帯びていることだ。坊官は寺侍《てらざむらい》とも称され、頼龍が帯刀しているのは特別なことではなかった。

だが、雑賀鉄砲衆一千を束ねる孫市には、笑止に思えてならない。

取り澄ました半侍を逆撫《さかな》でしてやろうと思い立った。

「おい、光佐《こうさ》の奴はどこにいる」

「こうさ、となっ」

頼龍は、小原流で鍛えた美しい声音《こわね》で頓狂《とんきょう》な声を上げた。

光佐とは、顕如の俗名《ぞくみょう》である。「顕如」は仏の弟子としての法名《ほうみょう》であった。門主の俗名を遠慮会釈《えしゃく》もなく口にする者など、門徒の中に一人としていない。

「御門跡様《ごもんぜきさま》とお呼びせえ、御門跡様とっ」

頼龍は孫市を門徒の一人としか見ていない。目を剝《む》いて頭ごなしに叱《しか》り付けた。

(怒っておるわ)

孫市は、昼間見れば湯気を立てているであろう頼龍の坊主《ぼうず》頭を思い、心中でほくそ笑んだ。

その頼龍は、

「斯様《かよう》な者に教える道理はない」

と言い捨てるなり、背を向けて立ち去ろうとする。

(吐《ぬ》かしたな)

(この半侍め)

孫市は心中の笑みを収めた。長い腕を伸ばすや、頼龍の首に後ろから巻き付けた。

「何をするっ」

耳に心地良い抗議の声を上げながら、頼龍は足搔《あが》いた。孫市の二の腕に手を掛けて引き外そうとするものの、雑賀党の首領の膂力《りょりょく》に坊官風情《ふぜい》が敵《かな》うものではない。

孫市は、頼龍の耳元に口を寄せた。

「頼龍、俺は誰だ。雑賀党の頭目はおのれから斯様な者と言われるような相手か」

自らが挑発したくせに理不尽にもそう低くつぶやく。真横でみるみる息遣いを荒くする頼龍の目をのぞき込んだ。

「うっ」

頼龍は息を吞《の》んだ。この男の目をこれほど間近に見るのは初めてだった。

孫市の目は常人とは違う。大きく見開かれた目玉の黒目が異様に小さかった。それは見るものによっては猛禽《もうきん》のそれを思わせた。

孫市は、鷹《たか》のごとき目を向けたまま言葉を継いだ。

「俺にはどうでも良いことだが、おのれら坊主には火急《かきゅう》のことのはずだぞ」

「御影堂《ごえいどう》にいらせられる」

頼龍は、目に涙さえ浮かべながら答えた。石を擦《す》り合わせたような声になっている。

「ふん」

孫市は腕を解き、御影堂に向かった。その後を頼龍が追ってくる。

「火急のこととは何じゃ、申せっ」

(すぐに良い声に戻りやがって)

孫市は頼龍の立ち直りの早さに思わず感心した。すでに門跡側近としての威厳を取り戻している。

「門跡に話す。付いて来い」

行く手を見据えたまま頼龍に言い放った。もはや「光佐」とは呼ばない。その声はどうでも良いこととは言いながら、切迫さに満ちていた。

2

「門跡《もんぜき》」

鈴木孫市《まごいち》が下間頼龍《しもつまらいりゅう》を従えて御影堂《ごえいどう》の障子を開けたとき、緋色《ひいろ》の僧衣を纏《まと》った顕如《けんにょ》は堂の主《あるじ》である宗祖、親鸞《しんらん》の木像を見上げていた。

「孫市――」

顕如は振り向くと、わずかに笑みを浮かべた。

（貴種《きしゅ》だなあ）

孫市は、何やら心和《なご》んでしまう自分を抑えることができない。

現在も残る顕如の絵像の顔は異様に長い。この長い顔は息子の教如《きょうにょ》に遺伝し、息子は一尺（約30センチ）ほどもあったという。

顕如が微笑《ほほえ》めば、顔のかなり上に付いた小さな目はなくなり、顔のかなり下にある唇は小さく弧を描いた。戦国の世には無用の人の良さと大らかさがにじみ出ていた。

（この男が貴人として生まれ育ったからだ）

孫市は浮世離れした笑顔の所以《ゆえん》が、顕如の出自《しゅつじ》にあると見ていた。

一向宗が公家《くげ》社会に接近するのは、顕如の父、証如《しょうにょ》の時代である。門徒から上納される莫大《ばくだい》な資金を武器に威を示し、摂関家である九条家の猶子《ゆうし》となった。本願寺が一向宗としては初めて門跡に列せられたのも、この財力が背景にある。顕如の母もまた、公家の娘であった。

顕如は、わずか十一歳のときに父証如の死に伴い門主となった。年少の身で本願寺の頂点に立ち、全国の門徒たちからかしずかれる立場に置かれたのだ。初めて門跡に列せられたのは顕如のときで、十六歳だった。

もはや僧というより大大名、いや貴族である。出自が確かで、まわりから押し上げられた者は、時に途轍《とてつ》もない善人となる。孫市が見る顕如はその典型だった。嫌いな人品骨柄《じんぴんこつがら》ではない。

（そんな男が、あの信長と足掛け七年も戦《いくさ》を続けているとは）

孫市は顕如に歩み寄りつつ、不可思議な思いに囚《とら》われていた。

織田信長と一向宗本願寺派との戦い、すなわち「石山合戦」は、六年前の元亀《げんき》元年（一五七〇年）に勃発《ぼっぱつ》した。石山合戦と呼称するのは、大坂本願寺が後に石山本願寺と呼ばれるようになったからで、この時代にはまだその名称はなかった。

顕如が信長と敵対したのは、信長が大坂本願寺の地を寄越《よこ》せと命じたからだとの説が昔からあるが、確たる証拠はない。

ただ、石山合戦を記した『石山退去録』によると、信長は、

「あの大坂本願寺の地形こそ古今《ここん》まれなる城地なり。彼《か》の処《ところ》に城を築き、西国《さいごく》の押さえにするならば、又もなき究竟《くっきょう》の場所ならん」

と言い、同じく石山合戦の顚末《てんまつ》を記した『石山軍記』にも似たような記述があり、石山合戦の開始直前、顕如が近江《おうみ》（現在の滋賀県）の門徒に宛てた書状に、

「これまで信長の求めに応じて来たのだが、それも無駄なことで、（大坂本願寺を）破《は》

却《きゃく》すると言ってきた」

とあることなどから、信長はやはり寺地を献上《けんじょう》するよう命じたか、事実上進呈せざるを得ない状況に追い込んだのだろう。

これまでにも、信長は顕如に対して矢銭《やせん》（軍資金）五千貫を要求するなど様々な難題を吹っ掛けている。顕如は素直に応じてきたが、大坂の地を渡す要求だけは呑めない。戦を決意した。

それから足掛け七年、顕如は信長を相手に和睦《わぼく》と戦を繰り返し、昨年の十二月に和睦してから天正四年四月のこの時期までは和平が続いていた。

（だが、それもこれで終わりだ）

孫市には、大坂本願寺の行く末がありありと見通せた。

（次に合戦となれば負ける）

理由は、先ほど寺の塀ごしに目撃した光景にある。御影堂の孫市は、顕如の前で足を止め、それを告げた。

「恐らく、信長の軍勢が天王寺《てんのうじ》に新たな砦《とりで》を築いておる」

「天王寺じゃとっ」

と叫んだのは、後から付いてきた頼龍である。天王寺と言えば、大坂本願寺の南方、わずか半里（約2キロメートル）の距離ではないか。

「火急のこととは、それかっ」

頼龍が悲鳴のごとき叫び声を上げたときには、顕如の笑みは消えていた。無言のまま緋の僧衣を翻《ひるがえ》し、御影堂の外へと早足で向かった。

（門跡よ、天王寺砦をしかと見るのだ）

孫市は、顕如と、慌《あわ》ててそれを追う頼龍の後ろ姿を見詰めながら、自身も二人の後を追った。

孫市が御影堂の回廊《かいろう》に出ると、僧たちが南の寺塀《じべい》へと群れをなして駆けていた。生駒《いこま》山地から昇るはずの朝日はいまだ顔を出さないものの、すでに空は明るさを取り戻しつつある。いずれも黒衣の僧の中で、顕如の緋の衣は目立った。自然、僧たちのいずれもが顕如に気付き、駆けるのを止《や》めて顕如に歩速を合わせた。

（門徒め）

漁火《いさりび》を追う黒い魚の群れのごとく顕如を慕う僧たちに、孫市は心中で舌を打った。この男が門徒を苦々しく思うのには少々理由がある。

（皆、一も二もなく顕如に従いおって）

顔を顰《しか》め、回廊から飛び降り駆け出した。

「野田、森口、森河内《もりかわち》に続き、天王寺に砦かっ、三方を囲まれるぞ」

頼龍は後方から駆けて来た孫市に叫んだ。

織田信長の家臣、太田牛一《おおたぎゅういち》が信長の生涯について記した『信長公記《しんちょうこうき》』によると、信長方の武将たちが野田、森口、森河内に続いて天王寺に砦を完成させたのは、天正四年の四月十四日のことである。

はじめに築かれたのは、大坂本願寺の西4キロのところにある野田砦（現在の大阪市福島区玉川）だ。

仰天《ぎょうてん》したのは、頼龍であった。防戦とばかりに、本願寺方の砦である楼《ろう》の岸《きし》砦（同、大阪市中央区石町二丁目。大坂本願寺の西側すぐ傍）と木津《きづ》砦（同、大阪市西成区出城。大坂本願寺の南西5キロ）に兵を籠《こ》めた。

「馬鹿《ばか》な奴だ。信長のような相手には大人しくしておるしか手はなかったのだ」

孫市は、白洲《しらす》を踏み散らしながら急ぐ頼龍の後頭に向かって怒り交じりの声を放った。

「お前は、信長の奴に口実《こうじつ》を与えたのさ」

孫市の言う通りであった。頼龍のこの一手が、信長に本願寺側から和議を破棄《はき》したという口実を与えていた。

果たして、信長は四月三日付で「大坂本願寺で籠城《ろうじょう》の男女は出てくれば助ける」との制札《せいさつ》を立てるよう命じた。本願寺側にしてみれば、むりやり籠城戦をさせられているようなものであった。

本願寺方の「籠城」を受け、信長はさらに森口（同、守口市土居町）と森河内（同、東大阪市森河内西）に砦を築き、大坂本願寺の北東と東を押さえた。森口砦は大坂本願寺から約5キロ、森河内は約3キロの距離である。そして今朝の天王寺砦だ。ついに南も押さえられてしまった。

この間、わずか二週間程度にすぎない。

「まんまと嵌《は》められたな」

孫市は、歯嚙《はが》みする頼龍の横顔を冷ややかに見下ろし、詰《なじ》った。

無論、大坂本願寺にしても、うかうかしていたわけではない。援兵を募り、頼ったのが、この孫市であった。孫市が雑賀《さいか》衆一千を率いて大坂本願寺に入ったのは、つい先日のことである。

3

黒衣の僧を引き連れた顕如《けんにょ》と下間頼龍《しもつまらいりゅう》は、土塁の階《きざはし》を登ると、立ち並ぶ寺塀《じべい》越しに南側の外界《がいかい》を観望して愕然《がくぜん》とした。鈴木孫市《まごいち》も、最前までは暗闇だったその景色を見て、

（やはりそうか）

ただでさえ険《けわ》しい目を一層険しくした。

大坂本願寺は、南北に長い上町《うえまち》台地の北端に位置する。その一帯で八町《ちょう》（約900メートル）四方の土地を占めており、寺の周囲には堀が巡《めぐ》らされ、その廻《まわ》りを門徒たちの住む六つの寺内町《じないまち》が囲んでいた。さらに、その寺内町をも取り込む形で堀が巡らされている。

いま、孫市が臨《のぞ》む南側の寺塀から見ると、巨大な堀を隔てて寺内町のうちの一つ、南町屋が足元にあり、その先の堀の向こうに、上町台地が南へと帯《おび》のごとく伸びていた。ほとんどが荒地のその中にぽつぽつと田畑が散在しているのが、森村、高津《こうづ》村といった集落である。

孫市の右手前方では、上町台地と平行して難波《なにわ》砂《さ》堆《たい》と呼ばれる一帯が、同じく帯のように南へと続いている。難波砂堆と上町台地は急な段差を形成していて、上町台地から難波砂堆に至るには、急坂《きゅうはん》を降《くだ》らなければならなかった。孫市から見て、難波砂堆のさらに右手が当時、難波海《なにわのうみ》と呼ばれた大阪湾だ。

戦国期、難波砂堆は、水溜《みずたま》りの散見される葦《あし》だらけの土地で、ほとんどが使用不能である。それでもわずかな土地を切り開いて田畑とした百姓たちの集まる村々が、上町台地と同様、難波砂堆にもあった。

本願寺方の砦は、この難波砂堆上の村々の中に築かれている。大坂本願寺から見て、手前から、穢多崎《えたがざき》砦、難波砦、三津寺《みつてら》砦、木津《きづ》砦が南北に連なっており、頼龍が兵を籠《こ》めた木津砦もまた、難波砂堆上の木津村の中にあった。

天王寺砦は、この木津砦の東方2キロの上町台地上に勃然《ぼつぜん》と現れた。現在の大阪市天王寺区生玉寺町にある月江寺《げっこうじ》の辺りがそこにあたる。前述の通り、大坂本願寺からも2キロほどだ。信長方の砦としては、大坂本願寺に最も近かった。

白々明けの空の下、僧たちが上げるどよめきの声を聞きながら、孫市は小さく見える天王寺砦に目を凝らした。

(——一夜にして砦を)

暗闇に小さな火花とかすかな銃声を聞いたゆえ、そうかと予感したが、それが当たった。頼龍の籠めた木津砦の門徒たちが敵の築城に気付き、小競《こぜ》り合いがあったに違いない。近くに行けば門徒の屍骸《しがい》が転がっているはずだ。

土塁代わりの土俵《つちだわら》の上に木の柵《さく》を植えただけの仮の砦だが、すでに柵内には色取りの旌旗《せいき》が翻《ひるがえ》っていた。防御の点だけで言えばこれで充分だった。木柵の内側では、本格的な築城がすでに始まっている。

砦が築かれているのは上町台地の西の端だ。ならば、難波砂堆にある木津砦を楽々と見下ろすことができるはずだ。大坂本願寺へは、上町台地を北に突っ走れば、すぐにでも攻め寄せられる。

「咽喉元《のどもと》に刃《やいば》を突き付けられたも同然じゃな。どうする門跡」

孫市は、呆然《ぼうぜん》と天王寺砦を見詰め続ける顕如に鋭く問うた。

「攻め寄せましょうぞ。天王寺砦も野田、森口も森河内も当方より先手を打ちましょうぞ」

すかさず頼龍が叫んだ。

これまで信長方に付城《つけじろ》を築かれながらも本願寺方から攻め寄せなかったのは、まがりなりにも和睦が継続していたからだ。しかし、いまは孫市がいる。そして猶予《ゆうよ》はない。

が、当の孫市が放ったのは、頼龍を嚇《か》っとさせるひと言である。

「俺なら行かんぞ」

「なんじゃとっ」

頼龍は孫市を睨《にら》んだ。

「おのれら雑賀党《さいかとう》はこの大坂本願寺になにしに来たのだ。戦しに来たのではないのか」

「そのことよ」

孫市は、そう言って頼龍に猛禽《もうきん》の目を向けると、真顔《まがお》に転じて顕如に向き直った。

そして大坂本願寺に入って以来、繰り返し思案していたことを口にした。

「門跡、この大坂の地を捨てよ。信長へと譲ってやるのじゃ」

「なにっ」

と頼龍が横から怒声を放つが、構わず続けた。

「我が紀州は当宗門《しゅうもん》への信仰篤《あつ》き地ゆえ、寺基《じき》を移すにふさわしき土地じゃ。ここでさらなる戦を信長と始めれば次に和議はない。必ず負ける。負ければ、寺地どころか宗門さえ失うことになるぞ。ここは見切りを付け、大坂を捨て、紀州に新たな本山を築くのだ」

「おのれ、信長の求めに応じよと申すのか」

小男の頼龍は、孫市の腰につかみかからんばかりの勢いで叫んだ。

『石山軍記』によると、雑賀党を率いる鈴木一族は、もともと信長と敵対することに反対していた。同書には、鈴木重幸《しげゆき》という孫市の一族が、

「信長の望み不仁《ふじん》なりといえども、申す旨《むね》に任せられ、当処を御退去あらば、宗門においては別条あるまじ」

と六年前の開戦時に、顕如に対し信長に土地を譲ってしまうよう助言したとある。これに猛烈に反対したのが頼龍の一族の下間和泉守《しもつまいずみのかみ》という男であった。孫市と頼龍は、一族の者が六年前にやったやり取りを、ここでまた繰り返していた。

ちなみに頼龍は、よほど信長憎しの念が強いらしい。後年、顕如が信長との和議に傾いた際に徹底抗戦を主張し、顕如に疎《うと》まれて、一時失脚に追い込まれた。

開戦の是非を判断するのはあくまでも顕如である。そして六年前には開戦の判断を下した。今回、楼の岸砦、木津砦に兵を籠めたのも、なにも頼龍の独断ではなく、顕如自身が承諾していた。顕如はこのまま行けば、何度目かの戦を決意するはずである。

頼龍はそんな顕如の心根を読み取っている。顕如をぐいと見上げると、重ねて出兵

を催促した。

「御門跡様、御下知《げじ》くだされ。門徒一万五千の兵で、あの砦を攻め潰《つぶ》しましょうぞ」

大坂本願寺の寺内町に住む門徒と、楼の岸砦、木津砦の門徒を合わせれば、一万五千の大軍勢となり、これをもって攻めかかれば、急造の天王寺砦などやすやすと落とせると説いた。

だが孫市は、

「その一万五千が我らを殺すのだ」

そう冷ややかに言った。

「いや女子供を勘定に入れれば五万の門徒が我らを殺す」

鈴木孫市は武の男である。門主の取り次ぎ役に過ぎない頼龍とは戦の練度が違った。

「いいか、頼龍」

孫市は頼龍を見下ろした。

「信長の砦のいずれを攻めても、一度の戦で落とすことはできぬ。戦は必ず長引く。すでにして信長は兵糧《ひょうろう》攻めに出ておるのだ。なれば、いま大坂本願寺にある兵糧など寺内町と砦の人数で、たちまち食い尽くしてしまうぞ」

ひと度砦を築かれてしまうと、これを落とすのは容易ではない。兵法書の古典『孫子』には、城を落とすのに十倍の兵力が必要だとある。天王寺砦には、旗の数から見て少なくとも五千以上の兵がいるだろう。となれば長期戦は必至だ。

『石山退去録』によると、大坂本願寺に籠城した人数は五万六千だったという。この中には女子供も含まれていると思われるが、これだけの人数が仮に一年間籠城しようとすれば、十万石の兵糧が必要であった。これほどの米は大坂本願寺といえども急には用立てられない。

「兵糧など天下に散らばる門徒に働きかければ集まるわ」

頼龍は言い返したが、

「どこからだよ」

と孫市は冷笑した。

「ここに兵糧を入れていた越前《えちぜん》と伊勢《いせ》長島は信長に押さえられた。どこから兵糧を入れるというのだ」

伊勢長島一向一揆《いっこういっき》は一昨年の九月、越前一向一揆は昨年の八月に、それぞれ信長に制圧された。いずれも大坂本願寺にとっては有力な兵站《へいたん》基地ともいうべき地域で、これにより大坂の兵糧は急速にその確保が困難になった。

孫市の言う通り、信長はすでに兵糧攻めに出ている。信長は、この日から九日前の四月五日には、大坂本願寺周辺の村々に対して、「大坂に兵糧を入れるな」と命を出し、さらにその二日前の四月三日には、大坂本願寺周辺の麦を刈り取ってしまうよう下知していた。

「加えてこの包囲だ」

と孫市は言う。

信長は、大坂本願寺に通ずる街道を押さえてしまっているはずである。容易に兵糧は入れられない。

「むう」

理の当然に言葉を失う頼龍を尻目《しりめ》に、孫市は顕如へ詰め寄った。

「門跡、意を決するのだ」

「孫市よ」

顕如は、雑賀党の首領に向き直った。

「わしは信長と再び戦うつもりだ。そのために孫市、お主に馳走《ちそう》を頼んだのだ」

むしろ申し訳なさげな調子である。

だが、孫市の返答はにべもない。

「勘違いせんでもらいたいな」

孫市は顕如の目を正面から見据えた。

「この鈴木孫市が大坂本願寺に参じたは、我が家来どもが門徒だらけだからだ。門主の檄《げき》に応じぬとあらば、この俺ですら雑賀の地で身の置き所がなくなるゆえな。俺自身は本願寺がどうなろうと構わん」

紀州は、一向宗本願寺派中興の祖、八世蓮如《れんにょ》が布教に赴《おもむ》いて以来、一向宗の拠点の一つとなっている。孫市率いる雑賀党の家来たちも多くが門徒で、本願寺のこととなれば、孫市の下知など二の次となる者が続出していた。孫市が門徒を苦々しく思う理由はここにあった。

孫市自身は信長に対して、どうという感情も抱いていない。大坂本願寺が信長に敵対した直接の理由は、六年前に信長が、野田砦（天正四年のこの時期、信長が兵を入れている砦）に籠った三好長逸《みよしながやす》らの軍勢を攻めるべく、大坂本願寺の傍《そば》に位置する楼の岸砦に陣を敷いた際、ついでに大坂本願寺をも奪おうとしたからだが、このとき孫市ら雑賀党は信長に味方していたほどである。

「いま俺がここに参ったは、門跡を思い止《とど》まらせるためだ」

（できることなら、この男を必敗の戦から救い出したい）

本願寺には義理はないが、孫市は顕如という人の良さげな男を好ましく思っていた。

孫市は、戦うためではない、顕如を救わんとして、この大坂の地に来たのだ。

「──孫市」

顕如は言ったまま、考え込んでしまった。善人だけに孫市の想《おも》いに大真面目《おおまじめ》に応《こた》えようとしている。

孫市は畳《たた》み掛けた。

「六年前には近江《おうみ》の浅井長政《あざいながまさ》がおり、越前には朝倉義景《あさくらよしかげ》が、甲斐《かい》には武田信玄が味方にいた。だがどれも今は滅ぼされるか、かつての力を失っておる」

三年前の天正元年、武田信玄が病死し、浅井と朝倉も同じ年に信長によって滅ぼされた。信玄亡《な》き後の武田家に、信長が痛打を与えた長篠《ながしの》合戦は昨年のことで、援軍を求められない状況だった。

「信長は六年前とは比べ物にならぬほど巨大になっておる。次に合戦となれば和議はない。長島や越前のごとく撫《な》で斬《ぎ》りにされるぞ」

孫市がそう言っても、顕如は口を引き結んだまま考え続けている。

やがて、

「いや、やはりできぬ」

と長い顔を上げた。

「この大坂は蓮如上人《しょうにん》が開かれた地だ。そして山科《やましな》本願寺を焼かれ寺基を移し本山と定めて以来、我が父、証如《しょうにょ》上人が磨き上げてきた土地だ。何としても信長に渡すことはできぬ。孫市、わしはどうしても翻意《ほんい》することができぬのだ」

静かな声音であった。それだけに並々ならぬ決意がそこに籠められていることが分かった。

「どうあってもできぬか」

と孫市は言ってみたが、諦《あきら》めたような語調であった。

顕如は孫市の猛禽の目をまじろぎもせず見詰めて、静かに言った。

「頼む孫市。何ぞ手立てを」

(強情な奴だ)

孫市は心中で苦笑した。

こうなることをある程度、予期していた。説得に失敗したとなれば、家臣どもががうるさいゆえ、戦に付き合うしか道はない。

(やるしかないか)

気は進まぬが、打開策はすでに頭にある。

「ならば海しかない」

孫市はそう言うや、唐突《とうとつ》に右前方を指差した。

4

顕如《けんにょ》と下間頼龍《しもつまらいりゅう》は、上町《うえまち》台地上の天王寺砦《てんのうじとりで》から右手に視線を移し、難波砂堆《なにわさたい》上の木《き》津《づ》砦のさらに右手に広がる、現在の大阪湾を見た。

「幸い信長は、難波海《なにわのうみ》を制してはおらず、いまも当方の木津砦には細々とではあるが、門徒が海より馳走《ちそう》に参っていると聞く」

鈴木孫市《まごいち》の言う通り、難波海には商船らしき船が朝から行き交い、織田方の船は見えない。それは穏やかで見慣れた、いつもの風景であった。

当時の大阪湾の海岸線は、現在よりもよほど内陸にある。木津砦のあった大阪市西成区出城がすでに海岸端であった。ちなみに、木津砦より南側は、現在の阪神高速15号堺《さかい》線上がほぼ海岸線で、それより西は海である。木津川も現在より短く、木津砦の辺りが河口であった。

難波砂堆の本願寺方の砦のうち、海に面しているのは木津砦だけだ。この海辺の砦を目指して、西国の門徒たちは自前で小舟を仕立ててやってきていた。

「されば五万人分の兵糧《ひょうろう》を海より運び、木津砦に入れるのだ」

孫市はそう策を明かした。

木津砦に兵糧を入れ、あとは北方に連なる三津寺《みつてら》砦、難波砦、穢多崎《えたがざき》砦、楼の岸《ろうのきし》砦、大坂本願寺の順で北へ北へと兵糧を運び込めば良いとする。砦と砦の間はさほど距離がないため、敵の天王寺砦も容易には邪魔できないはずだと言う。

「海か」

顕如は、朝日に輝く難波海を見詰めたままつぶやいた。空気が澄んで、淡路島《あわじしま》まで見渡せた。

「だが、誰が兵糧を用意し、木津砦に運ぶ」

と頼龍が疑問を差し挟んだ。援兵がなく、兵站《へいたん》基地も失った。ならば、誰がその兵糧を調達するのか。

「毛利《もうり》家さ」

孫市は当たり前のように言った。

「毛利家だとっ」

頼龍は声を荒らげた。

この時期、中国地方の十カ国を領分とする毛利家は、信長と大坂本願寺のいずれにも好《よしみ》を通じ、どちらとも断交するつもりがないかのようであった。孫市たちは知らないが、毛利家当主、毛利輝元《てるもと》の叔父で重臣の小早川隆景《こばやかわたかかげ》は、二週間前の三月三十日付で、信長から正月祝賀の礼状までもらっていた。

「毛利家など、再三加勢《かせい》を求めたにもかかわらず、のらりくらりと侍の数人を寄越《よこ》したぐらいで、我らに味方すると公《おおやけ》にする気配が一向にない。頼りにならんわ」

顕如にも、頼龍の不信がもっともと思えるのか、促すように孫市を見た。

孫市は、うなずくと、

「将軍家」

と一言言った。

信長が京都を押さえる大義名分として、その権威を利用し、利用し尽くせば放り出した足利《あしかが》幕府最後の将軍、足利義昭《よしあき》のことだ。将軍としての実力はないものの、名分だけはある。これを使って信長に反転攻勢をかけるべく、全国の戦国大名たちに連携を求め、それなりの実績も上げてきた。

義昭は二カ月前に、備後国《びんごのくに》の鞆《とも》（広島県福山市鞆町鞆および鞆町後地の辺り）へと紀州から引き移っている。備後国は毛利家の領国で、信長に敵対するよう毛利家に求めに行ったのは明らかであった。

「将軍家が毛利家を口説《くど》く中、我らもいま一度、加勢を求めるならば、毛利家も重い腰を上げざるを得ぬ」

孫市はそう言い切った。

「毛利が動くか」

厳しく引き結んでいた顕如の口元が僅《わず》かに緩《ゆる》んでいる。孫市の考えを妥当だと見たらしい。

だが頼龍はなおも疑う。

「しかし兵糧五万人分じゃぞ。いかに毛利家が承知したとて、五万人分の兵糧を積めるほどの船数を所持しているとは思えぬ」

これまでの信長との合戦の長さから見て、一年分は兵糧がほしい。となると前述の通り十万石の米が必要である。十万石は、重量にして1万5000トン、米俵にして二十五万俵という途方もない重さと嵩《かさ》になる。江戸期に登場した千石《せんごく》積みの船、いわゆる「千石船」でさえ百艘《そう》が必要だ。もちろん一艘当たりに積む量を減らせば大船は必要ないが、その分、船数はケタ違いに増えていく。

この時代、これほどの大船、船数を有する武家はまずいない。ただ一つを除いて。

「村上《むらかみ》海賊」

孫市は、その名を口にした。

「村上？」

顕如は小首を傾《かし》げたが、頼龍は敏感に反応した。その名字よりも「海賊」という言葉にである。

「海賊だとっ、海賊に頼るのか」

頼龍は、鬼に願い事をするのか、と言わんばかりの調子で叫んだ。美しい声は震えている。

当時の人は「海賊」と聞けば、まず恐れが先に立った。

海に生きる海賊衆の実態は謎《なぞ》に包まれ、その剽悍《ひょうかん》さと残虐《ざんぎゃく》さだけが知られていた。

そしてその武威は、日本国内だけでなく、遠く明《みん》国の者たちさえも震撼《しんかん》させてきた。

孫市が海賊の事情に通じているのは、雑賀《さいか》党《とう》の領分が海に面した現在の和歌山市のほぼ全域にわたっており、家臣の中に漁民が多くいたからだ。

「ただの海賊ではないぞ。天下一の海賊じゃ」

孫市は、頼龍の怯《おび》えを煽《あお》るように付け加えると、顕如の方を向いた。

「毛利家は村上海賊に好を通じておる。村上海賊が承知すれば十万石の兵糧を運ぶなど易《やす》きこと」

「うむ」

と、笑みを深くする顕如を、孫市は急き立《せ》てるように続けた。

「敵は天王寺砦を築くことにより、我らの南方の糧道《りょうどう》を封じ、同時に木津砦を潰して海上への道を断つつもりだ。合戦となれば、事は急を要する。兵糧を入れる前に木津砦が落とされれば一巻の終わりじゃ」

天王寺砦の右手半里ばかりのところで小さく蹲《うずくま》る木津砦は、あたかも虎狼《ころう》に狙《ねら》われ身を縮めている小動物のようだ。孫市は彼我《ひが》の砦を指して敵の狙いを告げると、最後に大きく息を吸い、顕如に向かって吠《ほ》えるように言った。

「ならば直ちに毛利家へと使者を発し、村上海賊を味方に付けられよ」

顕如は力強くうなずいた。そしてこの瞬間、門主顕如を始めとする門徒五万六千人の命運は、村上海賊に託されることとなった。

第一章

5

まだ日も高いころ、一人の男が山道を登っていた。山道とはいえ城の道である。男は、安芸郡山城《あきこおりやま》（広島県安芸高田市吉田町）の本丸屋形《やかた》へと向かっていた。

瘦身《そうしん》で、顔も細いが、それには不釣合いな豊かな頰《ほお》だった。やや垂《た》れ下がった目じりと相《あい》まって、一見すると精彩《せいさい》に欠ける。が、この男は当代で一、二を争う頭脳の持ち主であった。毛利《もうり》家の重臣で小早川《こばやかわ》家の当主、小早川隆景《たかかげ》である。隆景この時、四十三歳。

『武辺咄聞書《ぶへんばなしききがき》』には、こんな話がある。

信長の死後、豊臣秀吉《とよとみひでよし》の政権となったときのことである。伏見《ふしみ》城で菊亭《きくてい》右大臣晴季《はるすえ》と碁《ご》を打っていた秀吉は、晴季に妙手《みょうしゅ》を打たれ、次の一手がどうしても浮ばなかった。

窮《きゅう》した挙句、悔《くや》し紛《まぎ》れに言った。

「此分別《このふんべつ》は隆景にても成間敷《なるまじく》」

次の一手は、隆景でさえも思い付かないだろうというのである。

傍で観戦していた徳川家康も「仰《おお》せの通り」とうなずいた。隆景の聡明《そうめい》さは、天下に轟《とどろ》き、天下人でさえ認めるところだった。

(どうすべきか)

その隆景が頭を抱えている。それこそ次の一手を考えあぐね、歩を進めながら、過ぎていく坂道の土くれを凝視《ぎょうし》していた。

(——本願寺を救うべきか、否《いな》か)

隆景の頭にあるのは、そのことである。

すでに、大坂本願寺の使者が安芸郡山城に達していることを、隆景は知っている。隆景は向後《こうご》を諮《はか》るため、毛利家当主、毛利輝元《てるもと》の居城である郡山城に呼ばれていた。

使者の口上《こうじょう》によれば、兵糧《ひょうろう》入れの話であるらしかった。だが、使者は兵糧入れの石《こく》高《だか》については、「毛利家当主様の御前で申し上げる」と頑《がん》として口を開かないらしい。

(大坂本願寺への兵糧入れとなれば、まず海送の話となるな)

隆景が当主である小早川家の家中で最も船に明るい者といえば、乃美《のみ》宗勝《むねかつ》という名の家臣だ。

（——宗勝か）

考えがその男に至ったとき、隆景はわずかに顔を顰《しか》めて後ろを振り向いた。すると、

「ほい」

と男が顔を上げ、目を見開いた。大きな耳たぶが何やら商家の楽隠居《らくいんきょ》のごとき長閑《のどか》さを感じさせる。乃美宗勝その人であった。

宗勝は、小早川家家中の海賊衆である。毛利、小早川家では、主人を警固《けいご》して海を行くことからこれを、

「警固衆《けごしゅう》」

と呼んだ。

いくら海の男とはいえ、当時、主持《しゅうも》ちがほとんどである。それどころか宗勝は、小早川家の支流の家柄で親戚《しんせき》筋に当たった。そんな家柄のせいか、当時の一般の人間が抱く海賊像からはほど遠い。

固太りではあるものの、背が低く、そのくせ頭が大きかった。今年四十九歳だが、頭は随分と禿《は》げ上がり、実際よりも年老いて見えた。

（また髷《まげ》を結うておらぬ）

隆景は、嫌な顔をした。

宗勝は禿げ上がってきてから髷を結うのを止《や》めた。

「わしゃ面倒」

と残り少ない白髪を後ろに撫《な》で付けている。自然、大頭はむき出しになり、白髪付きの蛸《たこ》のような頭は、他人を脱力させる妙な威力を備えるに至った。

(こんな男が、武辺《ぶへん》においては隠れなき者とはな)

隆景は、そのことを思わざるを得ない。

いまは亡《な》き毛利元就《もとなり》が、敵対する九州の大友宗麟《そうりん》の支城だった門司《もじ》城(福岡県北九州市門司区)を船で攻めたときのことである。一度、その囲みを解いたことがあった。

門司城は関門海峡を見下ろす半島に築かれている。離れ行く船から隆景が見ると、ただ一騎、崖《がけ》の下の浜で悠々と馬をうたせている敵がいた。大友宗麟の侍大将、滝田民部という男で、こちらの陣を挑発しているのは明らかだった。

(おのれ)

隆景が歯噛《はが》みしていると、味方の船団からするすると門司城の方へ戻っていく一艘《そう》の小舟がある。

(誰だ)

と思ううち、浜へ乗り付けた小舟から一人の武者が降り立ち、たちまち滝田の首級《くび》を挙げるや、何事もなかったかのように再び舟に乗り込んだ。

(何と)

唖然《あぜん》とする隆景の横で、父の元就がその名を明かした。

『常山紀談《じょうざんきだん》』には、そのときの元就の言葉が記されている。

「只《ただ》一人、陸《おか》にあがりたらば必ず兵部《ひょうぶ》なるべし」

兵部とは当時、宗勝が号した官職名、兵部丞《ひょうぶのじょう》のことで、果たしてその男は宗勝であった。いまから二十年近くも前の話である。宗勝は、毛利家創業のころからの歴戦の古強者《ふるつわもの》なのであった。永禄《えいろく》四年(一五六一年)に負ったという左鼻の脇《わき》の刀傷《かたなきず》がそれを物語っていた。

こんな男だから、隆景に対しても憚《はばか》るところがない。

(宗勝が、衆議で妙なことを言わねばよいが)

隆景は案じ、

「わざわざ来んでも良いと申したであろうに」

ぼやくように言うと案の定、宗勝は胸を張り、

「なんの」

と、隆景の思惑などまったく意にも介《かい》さぬ調子で返事した。
「本願寺の使者めがたどり着いたは、我が賀儀《かぎ》城でしたからな。わしも事の次第を見届けようと、参上したまでにござるよ」

大坂本願寺の使者、吉兵衛《きちべえ》の乗った商船が航行中、海上でそれを検《あらた》めたのが宗勝の家臣であった。そこで吉兵衛が一色五郎左衛門《いっしきごろうざえもん》の家臣で門徒であると素性《すじょう》を明かしたため、家臣らは主の住まう海浜の城、賀儀城（広島県竹原市忠海《ただのうみ》町）へと送り届けたのである。

宗勝が、吉兵衛の竹杖《たけづえ》を切り割ると、門主《もんしゅ》、顕如《けんにょ》から毛利家当主、毛利輝元に宛《あ》て急を報《しら》せる書状が現れた。宗勝は、吉兵衛の身柄と書状を毛利家の本拠、安芸郡山城へ移送するよう家臣に命じるとともに、自身は書状の写しを持って隆景の居城、新高《にいたか》山《やま》城（広島県三原市本郷町）へと赴《おもむ》き、その旨《むね》伝えていた。

（何ゆえ、相談もなく郡山城に使者を移した）

隆景は、得意げな様子でいる宗勝を腹立たしげに見やった。

顕如の書状は毛利家当主に宛てたものであるから、当主の輝元に送るのは当然の処置なのだが、直接の主である隆景に一言相談があってもいいではないか。宗勝は、隆景の心の内など全然考えもしなかったらしい。

（事と次第では、書状を握り潰《つぶ》したのに、勝手なことを）

そうは思うものの、表立って叱《しか》り付けるわけにもいかない。

「左様か」

苦い思いを飲み込んだとき、

「おう、隆景」

と、坂の上の方から声がした。

振り返ると、確かな足取りで道を下ってくる男がいる。

「兄者」

隆景はうなずいた。

隆景の三つ上の兄、吉川元春《きっかわもとはる》である。居城の日野山《ひのやま》城（広島県山県郡北広島町）から、先に到着していたものらしい。

（肥《こ》えたなあ）

隆景は思ったが、羨望《せんぼう》の眼差《まなざ》しである。この時代、肥《ふと》っているのは健《すこ》やかさと強さの証《あかし》だ。実際、元春はその身体《からだ》にふさわしい猛将で、織田信長の部将時代の秀吉が毛利家の領国に攻め入った際、戦《いくさ》を避けたほどの男であった。

激賞したという。

「大胆不敵の元春哉《かな》」

『名将言行録』によると、寡兵《かへい》で秀吉の大軍六万に挑んだ元春を、秀吉はそう言って

元春と隆景は、安芸吉田三千貫《かん》の小領主から、山陰・山陽十カ国の覇者《はしゃ》となった毛利元就の次男と三男である。次男の元春が「吉川」で、三男の隆景が「小早川」なのは、元就が領地拡大の過程で、それぞれの家に次男と三男を当主として送り込んで乗っ取り、毛利家の一門へと加えたからだ。ちなみに元就は五年前に他界し、元就の嫡《ちゃく》男《なん》、隆元《たかもと》も十三年前に早世していたため、天正四年（一五七六年）のこの時期、毛利家の当主は隆元の長男、輝元がその座にいた。従って、当主輝元にとって元春と隆景は、いわば「分家の叔父」ということになる。

この叔父の二人は父元就の教え通り、仲違《なかたが》いすることなく、若年の当主、輝元を補佐してきた。世の人は、武と智《ち》をもって本家を強力に補佐する吉川元春と小早川隆景の両名を、それぞれの名字から、「毛利の両川《りょうせん》」と畏敬《いけい》を込めて呼んだ。

元春は、隆景の後方にいる宗勝に気付いた。

「何じゃ、海賊も一緒かい。相変わらず借り物で戦するのか」

と戯《たわむ》れに訊《き》いたのは、宗勝には戦場に小刀以外の武器を持っていかないという変わ

った癖があったからだ。大友宗麟の侍大将、滝田民部を討ち取った際も、他人の槍《やり》を借りて対戦に及んだという。

「なんの、いつも得物《えもの》は自前にござるな」

宗勝は長閑な声で返答するが、今日も小刀を帯びただけで太刀《たち》もなければ太刀持ちもいない。

元春は、半ば呆《あき》れたように、「そうかよ」と言うと、再び隆景に顔を向けた。

「大坂本願寺より兵糧入れの願いじゃそうじゃな」

「いかにも」

「隆景よ、此度《こたび》は我らも腹を括《くく》らねばならぬかも知れんの」

すでに元春の元にも、顕如の書状の写しは届いていた。信長の兵糧攻めの件も、大坂本願寺がすでにして窮乏している件も知っている。

これまでも大坂本願寺から兵糧入れの依頼はあった。信長の手前、見舞い程度の兵糧で毛利家は応じてきたが、書状からすると、今回の信長の包囲は余りに急である。求められる兵糧の数によっては、信長へ反旗を翻《ひるがえ》したと見なされるかも知れない。元春が言う腹を括るとはそういうことであった。

(果たして、どうすべきなのか)

隆景は、再び最前の問いへと思いを巡らすと、

「兄者、大坂の使者には決して確たる返答をなさらぬよう」

そう言って、再び道を登りにかかった。

「おうおう、賢《さか》しいのう」

元春は隆景の背へ、からかうように言った。賢さのあまり深刻になる弟を冷やかすのは、元春の子供のころからの癖である。

6

大坂本願寺の使者には、本丸の広間で対面した。

上段の間《ま》に当主の毛利輝元《てるもと》、その下の広間では、小早川隆景《こばやかわたかかげ》と吉川元春《きっかわもとはる》を上座《かみざ》にして、乃美宗勝《のみむねかつ》ら主だった者が二列に居並び、本願寺の使者、吉兵衛《きちべえ》を見据えていた。

「大坂本願寺門跡《もんぜき》より発せられた一色五郎左衛門《いっしきごろうざえもん》が郎党、吉兵衛にござりまする」

隆景が輝元に対し、そう披露した。

輝元はこのとき、二十三歳。切れ長の目は鋭く、叔父の隆景に似て頬はふくよかで、見る者に大大名の威を感じさせた。

が、中身の伴わない外見の者はざらにいる。輝元もまたそんな男であった。

「輝元様、以ての外《ほか》、不行規に御座候《ござそうろう》ゆえ、中国四国の衆も御奉公《ごほうこう》に退屈仕《つかまつ》り、大あくびを突きおり候」

後年、毛利家が、家臣らの業績を調べるために提出させた上申書には、こんなとんでもないことが書かれている。関ヶ原合戦での、腰の定まらない対応を持ち出すまでもなく、この頃すでに輝元という男は家臣からこういう評価を受けていた。

隆景も輝元のそんな評価を知らないわけではない。このことが却《かえ》って悲痛ともいえる思いを固めさせていた。

(毛利家存続のため、わしと兄者がこの甥《おい》を守《も》り立てねば)

見れば、輝元が次の言葉を発すべきかどうかこちらを窺《うかが》っている。

隆景は、小さくうなずいて合図を送った。

「直答《じきとう》を許す」

とだけ輝元は言う。

吉兵衛への質問は、隆景がしなければならない。

「御門跡よりの書状は披見《ひけん》した。大坂の急なるは、すでに承知しておるが、いかほどの兵糧《ひょうろう》がご入用かは口上《こうじょう》にて伝えるとあるばかりじゃ。包まず申せ」

「はっ」

平伏《へいふく》していた吉兵衛は、半身をわずかに上げた。直答を許すというので、隆景に答えるべきか、輝元に答えるべきか少しの間迷っていたが、輝元の方に身体を向けて言《ごん》上《じょう》した。

「いかほどの兵糧を願い奉《たてまつ》るかにつきましては、それを万が一にも織田方に知られたる時には、相応の策に出られると御案じ召され、書状には認《したた》めなんだのでございまする。されば」

「くどい。早う、いかほどか申せ」

長い前口上《まえこうじょう》である。これから願い出る兵糧は莫大《ばくだい》なものに違いない。隆景は思わず不機嫌になり、斬《き》り捨てるように言葉を遮《さえぎ》った。

吉兵衛は「は」と再び平伏すると、

「御門跡におかれましては、兵糧十万石ほどを御所望《ごしょもう》にござりまする」

「十万石じゃと」

元春が吠《ほ》えるように応《こた》えた。

重臣たちもどよめきの声を上げている。そんな中、隆景はことさらに表情を消していたが、心中は穏やかどころの騒ぎではない。

――十万石。

これほどの兵糧を大坂本願寺に入れれば、信長から敵視されること確実である。

(兄者の申す通り、いよいよ腹を括《くく》るときが来た)

が、どちらに腹を括るかである。本願寺に味方するか、それとも信長か。

(判断を誤れば、即《すなわ》ち毛利家は滅ぶ)

そう思うにつけ、この使者が何やら憎い者にも感じられた。

ともかくも、この場で答えを出すのは危険である。

「吉兵衛とやら、苦労であった。城下に宿を用意した故《ゆえ》、幾日でも逗留《とうりゅう》するが良い。下がれ」

隆景は努めて穏やかに言ったが、顕如《けんにょ》や鈴木孫市《まごいち》に見込まれただけあって吉兵衛は容易に引き下がらない。きっと顔を上げると輝元に向かって訴えた。

「御無礼《ごぶれい》ながら、御返答下さりますよう。この月の十四日に法敵信長めの干殺《ひごろ》しに遭《あ》い、大坂はすでに飢《かつ》え、持って三月《みつき》にござりまする。いまならば難波海《なにわのうみ》もまだ通ること叶《かな》いますれば、何卒《なにとぞ》!」

「斯様《かよう》なことはすでに書状で承知のことじゃ、下がれ」

とっさに隆景は叫んでいた。家臣に合図してこの疫病神《やくびょうがみ》を広間からつまみ出すよう命じた。

「何卒、ご承知《しょうち》の旨、お答えくだされ！　何卒」

家臣らに引き摺《ひず》られるようにして広間を出て行く間、吉兵衛は何度もそう叫んだ。

その声が遠ざかり、やがて消えたころ、静まり返った広間で元春が口を開いた。

「十万石とは大きく出たな」

正面に座った隆景を見ながら、痛快とばかりに大笑した。頭の後ろで手を組み、

「隆景、何が確たる返答をするな、だ。斯様な間も与えなんだくせに。備後《びんご》の鞆《とも》にお
る将軍家も本願寺に味方せいと矢の催促じゃ。本願寺が持って三月と申すのなら、我
らも態度をはっきりせねばなるまいよ」

（兄者は大坂に味方するつもりじゃ）

態度をはっきりさせると言っているだけで、どちらに付くとも言っていないが、隆
景はそう見て取った。

だが、隆景は易々《やすやす》とは意を決することができない。

「十万石もの兵糧を入れるとなれば、信長に公然と歯向うたも同然じゃ」

深刻な顔で、いまさらのようにつぶやいた。

7

毛利《もうり》家が山陰・山陽十カ国を領しているのに対し、信長はこの時期、二十カ国近くを手中に収めている。いくら大坂本願寺と将軍家が付いているからといって、こんな男に戦を仕掛けるなど、小早川隆景《こばやかわたかかげ》には正気の沙汰《さた》とは思えない。

そこへ重臣の一人が進み出て、本願寺に味方するべき好材料を持ち出した。

越後国《えちごのくに》（現在の新潟県）の上杉謙信のことである。

武田信玄と死闘を演じ、「軍神」と呼ばれた上杉謙信は天正四年（一五七六年）のこの時期、まだ生きている。信長が最もその武辺《ぶへん》を恐れ、同盟しようと躍起《やっき》になったのは周知のことであった。

「将軍家は上杉謙信めにも加勢を求めておる由《よし》。我らが西より、謙信めが北より攻めれば信長も無事に済むとは思われませぬ」

（それはそうだ）

隆景もこれにはうなずかざるを得ない。

三年前に越中国《えっちゅうのくに》（富山県）をも抑えたこの男が本願寺に付き、毛利家も味方するなら、信長に充分対抗できる。

(だが、味方すればの話だ)

隆景は広間の重臣たちを見渡し、「甘いのだ、将軍家は」と軽蔑《けいべつ》を口中《こうちゅう》に交じえた。

「将軍家は、謙信と一向宗《いっこうしゅう》の確執《かくしつ》長きを知らぬ。大坂本願寺が飢え死ぬまでの三月のうちに謙信が門徒どもと和睦《わぼく》し、信長の領国に攻め入るとは到底思えぬ」

隆景の言う通りであった。

謙信の出自である長尾家は、代々一向宗の門徒たちと戦ってきた。祖父の長尾能景《よしかげ》は一向一揆《いっこういっき》との戦いで討ち死にし、父の長尾為景《ためかげ》も同様の戦死であったと専《もっぱ》らの噂《うわさ》である。そしていま、謙信自身もまた、加賀《かが》(石川県南部)の一向一揆に手を焼いていた。一向宗の本山である大坂本願寺を救うのは誰が見てもありえぬことだった。

「我らが先走り、大坂本願寺を救ったところで謙信が味方せねば、我らと大坂だけで信長に対することになる。これでは到底《とうてい》勝ちはおぼつかぬ」

隆景はそう続けるものの、信長に付くかと訊《き》かれたら、そうとも言い切れない。実は、謙信が本願寺と和睦する一縷《いちる》の望みがないわけではないのだ。

先の重臣がその望みについて口にした。

「しかし謙信めはこの乱世を憎み、先の将軍家(足利義輝)に対しても味方すると明言した男。謙信がいまの将軍家に味方すると決し、それに従い大坂と和睦することは決してないとは申せぬ。事は成り、信長は負け、大坂が勝つこともあり得る話でござる。となれば、我が毛利家は天下に居所《いどころ》を失いまするぞ」

（そんなことは承知のことだ）

隆景は内心、舌打ちしながらその重臣を見た。

謙信は奇特なことに、いまや風前の灯となった室町幕府の権威を重んじている。謙信が将軍家のために隠忍《いんにん》して本願寺と手を結ぶことがあるかも知れない。毛利家が手をこまねいているうち、本願寺と同盟した謙信が信長に勝てば、毛利家は天下の笑い者になり、威信は地に堕《お》ちるであろう。

（それどころか、毛利家そのものが瓦解《がかい》しかねぬ）

父、元就《もとなり》が死んでからまだ五年しか経《た》っていない。加えて、家督《かとく》を継いだのは輝元《てるもと》である。この間、毛利家に呑《の》み込まれてきた家中の者は毛利家に不信感を抱き、いまもそれが続いている。信長が負けたとて、謙信や大坂本願寺が攻め寄せてくることはないだろうが、毛利家は内部崩壊してしまうに違いない。

毛利家は、織田信長と合戦するかどうか、このとき徹底的に議論したらしい。『毛利家文書』の中には、その議論の叩《たた》き台となった『毛利氏織田信長和戦対策書』

なる書面が残されている。「信長と戦になった場合」と「戦にならなかった場合」の二つの局面に分け、それぞれで考えられる問題点を箇条書きにしたものだ。当時、毛利家と同盟していた備前国《びぜんのくに》（岡山県南東部）の宇喜多直家《うきたなおいえ》の向背《こうはい》も問題になったらしい。「戦になった場合」、家中の結束が保てるかどうかも議題となっている。毛利家臣団は必ずしも強固な結び付きを保っているとは言えなかったのだ。

隆景は考え込み、先の重臣も、隆景の態度につられて口をつぐんだ。他の者も同様に発言を控えていると、

「隆景！」

と、この膠着《こうちゃく》した議論を打ち破る大音声《だいおんじょう》が上がった。

吉川元春《きっかわもとはる》である。

「信長が西へ西へと領国を広げるいま、たとえ大坂を見捨て、信長に味方したとしても奴《やつ》は必ず我らを潰しにかかる。いずれは戦せねばならぬ相手なのだよ、信長は」

（そうかも知れぬ）

隆景は心中で首肯《しゅこう》した。

信長は、毛利家と好《よしみ》を通じていながら、毛利家の領国を切り崩すべく暗躍していた。毛利家が滅ぼした尼子氏《あまご》の旧臣、山中鹿介《やまなかしかのすけ》に尼子氏の所領《しょりょう》を回復させるべく裏で手を

貸し、備前の宇喜多直家にも手を伸ばしている。そんな信長を信頼して味方したとて、戦は避けられないとも思える。

（ならば大坂に味方し、信長と断交するか）

隆景は決めかけたが、そう思う先から、

（いや、謙信が立たねば、大坂と共倒れになってしまう）

と、次なる思いが押し寄せて来る。

結局のところ、謙信の出方がはっきりせぬ以上、判断は下せないのだ。

「兄者、やはり謙信立つと判明するまでは、大坂への兵糧入れは慎《つつし》むべきじゃ。毛利家存続に主眼を置けば、大坂には手を貸さず、信長に恩を売り、交誼《こうぎ》を深めるのが得策とも考えられる」

隆景が今できる判断はここまでだ。どう考えても謙信がわずか三カ月の間に本願寺と和睦して、軍勢を発するとは思えない。かと言って、その可能性がないこともない。結果、判断と言うには余りに他人任せな意見となった。隆景はともかくも待ちたかった。

先月末、信長から正月祝賀の礼状が隆景に届いている。大坂本願寺を見捨てたとしても、すぐに信長と戦になるわけではない。信長と好を通じ続ける道を探ることができると期待した。

しかし、

「賢《さか》しいの、隆景は。賢し過ぎるゆえ、細々《こまごま》と無用なことを思案する。謙信を待つ間に大坂本願寺が落ちれば埒《らち》もない。次に信長は我らを狙《ねら》い、毛利家は滅ぶこととなるぞ」

と元春は鼻で笑って言葉を継いだ。

「いいか、簡単な話だ。信長は天下を狙っておる。大坂本願寺は天下を狙うておらぬ。ならば毛利家が山陰山陽の主であり続けるためには、大坂に味方するほかない。ならば」

と一座を見渡し、

「味方の多き今こそ、信長と一戦に及ぶが上策」

性格の違いと言ってよかった。元春はあくまで積極論を、隆景は消極論を取り続けた。無論、家臣たちの胸に落ち易いのは明快な元春の意見である。それが証拠に家臣らは「応」と力強くうなずいていた。

隆景の意見はこれで消し飛んだ。元春の言うことも決して誤りではなく、一理も二理もあるのだ。家臣たちが元春に従う以上、隆景も黙らざるを得なかった。

元春は沈黙する隆景を見て、すでに反論は尽きたと見た。当主輝元に向き直るや、

「よろしゅうございましょうや、御屋形様《おやかた》」

と裁可《さいか》を仰《あお》いだ。

「そうせい」

輝元は一言発した。

そうなれば、次は十万石を運ぶ手筈《てはず》だ。

元春は、

「就英《なりひで》」

と、その男の名を呼んだ。

「応」

重臣の中から、色の白い眉目秀麗《びもくしゅうれい》な男が座をすべらせ、元春の方に身体《からだ》を向けた。

毛利家直属の警固衆《けごしゅう》（水軍）の長《ちょう》、児玉《こだま》就英である。

このとき、三十三歳だったが、まだ若々しい。切れ長の涼やかな目と細い鼻筋、紅に染まった唇は、平安のころの在原業平《ありわらのなりひら》もかくやあらんと毛利家中で騒がれたほどの美丈夫《びじょうふ》であった。

この男には武辺《ぶへん》も備わっている。かつて毛利元就から毛利家直属の船団の長に任ぜ

られたときも、「何事も就英の望むままにやらせよ」と御墨付きを与えられたほどで、要するに非の打ち所がなく、このためか自ら恃《たの》むところが厚く、いささか権高《けんだか》の嫌いがあった。

元春は、就英の顔をまぶしげに見やりながら問うた。

「十万石の兵糧を大坂本願寺に入れる方策はあるか」

「ござる」

就英が父、就方《なりかた》から家督《かとく》を譲られ、安芸《あき》草津城（広島市西区）を自らの居城としたのはふた月前のことだ。大いに気負って、

「毛利家警固衆の将たる我が児玉家に、小早川家警固衆の乃美家が加勢すれば、十万石を運ぶなど容易《たやす》きこと」

と胸を張った。

いらぬと言うのにくっ付いてきた禿《は》げ頭の乃美宗勝《むねかつ》が、にやにや笑っている。図らずも、我が家臣が役に立つかと見て取った隆景は、

「宗勝、就英の申すに相違ないか」

と声を掛けた。すると宗勝は、

「無理ですな」

長閑《のどか》な声で言う。

隆景は宗勝の返答に少なからず安堵《あんど》した。すぐさま大坂への兵糧入れが叶わぬのであれば、謙信を待つ刻《とき》を稼ぐことができる。「存念を申せ」と続きを促した。

「そう言われんでも申すつもりでしたわ」

宗勝は遠慮のない口を利《き》くと、輝元に向かって進言した。

8

「我が乃美《のみ》家、そして児玉《こだま》家の船を集めたところで、十万石を運ぶことなどおぼつきませぬな」

「なに！」

児玉就英《なりひで》が白い顔を紅潮させた。乃美宗勝《むねかつ》はどこ吹く風で、「まあ、そうお怒りなさらず」と気を削《そ》ぐ笑みを浮かべて続けた。

「仮に就英殿の申す通り十万石を積めたとて、それを守る兵船がなくてはならぬが、そんなもんはござらん。大坂の使者は難波海には敵はおらぬと申してござったが、警固の船なしで運べるわけがなく、わずか数艘《そう》の敵でもおれば、兵糧《ひょうろう》はたちまち奪われてしまうことになりましょうな」

　この場のほとんどの者は、宗勝と同年代でこの男の働きをその目で見ている。言葉の重みは、就英など若造の比ではなかった。

(よし)

　小早川隆景《こばやかわたかかげ》は満座の反応に心中で大きくうなずいた。今すぐにでもその禿《は》げ頭を撫《な》でてやりたい気分でいた。

「ならば、兵糧入れはできぬと申すのか」と就英が宗勝に向かって怒声を放つ。だが、そのとき隆景はこの禿げ頭が、やはり自分に何の遠慮もないのだと思い知らされた。

「そう申しているわけではござらんな」

　宗勝はそう告げたのだ。大きく間を置き、その名を口にした。

「頼るのでござるよ。村上海賊を」

(こいつ、十万石を海送できると言いたかったのか)

　村上海賊なら隆景も熟知している。奴らが味方するなら、十万石の海送など確かに容易《たやす》かろう。

(宗勝め)

　密《ひそ》かに激昂《げっこう》しながら、打開策に喜んでいるであろう家臣どもを見渡すと、満座には一種異様な空気が流れていた。ほとんどが陸《おか》の武士であるこの座の者たちは、村上海賊の名を聞けば戦慄《せんりつ》するのが常だった。

そんな空気の中、

（ちっ）

と舌を打ったのは就英である。

警固衆である就英は、村上海賊のことが初めから念頭にあったし、別に恐れてもいない。その名を敢《あ》えて出さなかったのは、毛利家臣団のみで兵糧入れを実現したかったからだ。

「昔より海賊家にて候《そうら》えば、合戦の時も嶋衆《しましゅう》（村上海賊のこと）の申される所を否《いな》と申すこと相成《あいな》らず」

村上海賊の子孫たちが書き記した『武家万代記《まんだいき》』によると、就英は後にそう言ったとある。毛利家直属の警固衆たる児玉家といえども、村上海賊の下風《かふう》に立たざるを得ない。権高《けんだか》な就英が、こういう者を頼りにするはずがなかった。

ここで、「村上海賊な」と分かったような分からぬような調子で当主の毛利輝元《てるもと》が声をあげた。

宗勝は、一瞬うんざりしたような顔になった。しかしさすがに毛利家の当主に対しては配慮があるのか、「御存知の通り」と前置きして、村上海賊について語り始めた。

村上海賊は、現在の広島県尾道《おのみち》市および三原市と、愛媛県今治《いまばり》市を結ぶ瀬戸内海上の島々、芸予《げいよ》諸島を中心に蟠踞《ばんきょ》した海賊衆である。

伊予国《いよのくに》（愛媛県）の歴史について記した『予陽《よよう》盛衰記』には、芸予諸島に威を張ったこの海賊についてこんな風に記されている。

「所々要害も多く（中略）、領知《りょうち》とする所数多《あまた》なり。常に番船数百艘を出して海上往来を改む。物見《ものみ》の番所はここかしこにあって、相図《あいず》の貝太鼓を通ずれば次第に至りて、百里も暫時《ざんじ》に達す」

芸予諸島は、大小五十以上もの島々で構成される。この島々が、ちょうど瀬戸内海を遮断《しゃだん》するかのごとく南北に連なっている。無論、まったくの遮断ではなく、島と島の間には海があるのだが、その海峡は複雑な航路を成し、狭い水路は急流を生み出す難所であった。

主要な水運経路であった瀬戸内海を東西に行き来する船たちは、この難所にぶつかることになる。村上海賊は、これらの難所を構成する島々に城を築いて私的な関所を設けていた。そして城同士互いに連絡を取り合い、往来する船から「帆別銭《ほべちせん》」なる通行料を徴収して、その軍備を維持していた。

「村上海賊は三家から成りまする」

と宗勝は続ける。

村上海賊の系譜を記した『北畠《きたばたけ》正統系図』によると、村上海賊は平安期の村上天皇から発する。降《くだ》って、南北朝の騒乱で足利尊氏《あしかがたかうじ》と戦った後醍醐《ごだいご》天皇率いる南朝の支柱、北畠親房《ちかふさ》の孫に北畠師清《もろきよ》というのがあり、これが芸予諸島に移住して、当時衰微していた村上家の名跡《みょうせき》を継ぎ、三人の息子（義顕、顕忠、顕長）を三つの島に配したのが、三家に分かれた始まりだという。それぞれ拠点とした島の名を冠して、北から「因島《いんのしま》村上」「能島《のしま》村上」「来島《くるしま》村上」と名乗った。三家を総称して三島《さんとう》村上とも呼ばれた。

「因島村上は我が毛利家にすでに臣従《しんじゅう》しておりまする。来島村上もまた、主家であるところの伊予守護家、河野《こうの》家の家運が衰えたにより毛利家を頼ること多にござれば、これも動かすこと可にござりましょうな」

宗勝はそう輝元に言上した。

いかに強勢を誇る村上海賊といえども、戦国の大大名が登場する時期になると、これに頼らざるを得なくなっていた。三島村上のうち最も勢力の小さかった因島村上は、地理的に広島県の本州部分に近いことから、およそ二十年前に毛利家に取り込まれていた。

来島村上は四国本土に近いことから、因島村上のさらに前に伊予国の河野家の家臣になっている。来島村上はこの当時、主家を凌《しの》ぐ勢いだったが、依然、河野家の家臣のままであった。その主家である河野家は四国土佐の長宗我部元親《ちょうそかべもとちか》らに押され、毛利家に何度か窮地を救われている。一朝事あれば、来島村上に毛利方へ味方せよと命ずるはずだ。

とすると、残るは一つだ。

能島村上。

天正四年（一五七六年）時、三島村上のうちでこの一家だけが独立を保っていた。いや、独立を保つどころではない。能島村上は三島村上の他の二家をはるかに凌ぎ、最盛期を迎えていた。その威勢は、西は周防灘《すおうなだ》（山口県、福岡県、大分県が臨む海域）、東は塩飽《しわく》諸島（岡山県と香川県に挟まれた海域の島々）にまで及び、随所に城を設けて帆別銭を吸い上げていた。日本へ布教に訪れたイエズス会宣教師ルイス・フロイスは著書『日本史』の中で、

「日本の海賊の最大なる者」

と紹介したほどで、海賊の王ともいうべき存在であった。

村上海賊への恐れや賞賛は、能島村上に集約されていると言っていい。広間にいる

毛利家の家臣たちが「村上海賊」と聞いて思い起こしているのも、この海賊の王のことであった。

「能島は味方に付くか」

吉川元春《きっかわもとはる》が肥《こ》えた身体を揺すりつつ、忌々《いまいま》しげに宗勝に訊いた。宗勝は困ったような顔で、

「なかなかすんなりと行く相手ではござらんな」

「村上武吉《たけよし》か」

元春は、当主の名を苦々しげにつぶやいた。

能島村上を最盛期の高みに登らせたのが、この男である。

『武家万代記』によると、来島、因島の村上家は、村上武吉を村上海賊の筆頭と位置付けていた。常々、「何事も武吉次第」と武吉の意を尊重したという。武吉の雷名《らいめい》はそれだけにとどまらず、室町幕府の前将軍《さきの》である足利義輝《あしかがよしてる》が毛利家と尼子《あまご》家との対立を見兼ねた際、調停役を依頼するほどの威勢を誇っていた。

武吉の名を聞いた宗勝は深くうなずき、

「この男を口説《くど》き落とさぬことには、大坂本願寺への兵糧入れは到底おぼつきませぬ」

だが、武吉には毛利家に味方せぬ訳があった。

隆景が冷ややかな調子でそれを明かした。

「五年前の戦を遺恨《いこん》に思うておれば、武吉が味方に付くこと叶《かな》わんぞ」

いまから五年前といえば、元亀《げんき》二年（一五七一年）のことである。毛利家は武吉の居城、能島城に攻め寄せたことがあった。

理由は、それまで毛利家に海上交通の便宜を図っていた武吉が、にわかに九州の北部を勢力範囲とする大名、大友宗麟《そうりん》へと鞍替《くらが》えしたことにある。

能島村上は独立勢力なので、謀反《むほん》と呼べるものではない。しかし、当時、大友家と敵対していた毛利家としては、看過できることではなかった。武吉に何度となく使者をやり、翻意《ほんい》をうながしたが、一向に靡《なび》く気配がない。毛利家は仕方なく、能島に兵を発した。

結果は惨憺《さんたん》たるものである。毛利家は多大な犠牲を払いながらも武吉から和睦をもぎ取ったが、内実は能島村上の武力を思い知らされただけだった。以降、武吉は何事もなかったかのように毛利家と好《よしみ》を通じてはいるものの、毛利家のために戦働きをしたことはない。

（――何やら腹の分からぬ男）

隆景でさえ、武吉という男の本性を見抜くことができなかった。

五年前の戦を持ち出され、一同の顔は曇った。大毛利家をものともしない村上武吉なら、その依頼が気に入らなければ簡単に蹴《け》ってしまうであろう。

(これよ)

一同の様子を見て、隆景は喜びとともに拳《こぶし》を握った。

(皆、村上海賊に頼るのをこのまま諦《あきら》めよ。そして上杉謙信が立つのを待つのだ)

そう念じていたとき、

「武吉を口説けるか、宗勝」

と、元春が沈黙を破った。宗勝の返事は、相変わらず忌憚《きたん》がない。

「はじめから、そのつもりにござるわ」

(この禿《はげ》っ)

隆景は心中で怒鳴《どな》り付けたが、元春はもう当主の輝元に向き直り、言上《ごんじょう》していた。

「御屋形様、なれば大坂の使者には承諾《しょうだく》する旨《むね》、伝えるとともに、これなる乃美宗勝、児玉就英を能島に発するようお命じくだされ。当家に味方するよう村上武吉を説き伏せるのでござる」

「そうせい」

(このままでは、毛利家は潰れる)

隆景は焦慮《しょうりょ》した。

(謙信なきまま、大坂に味方してはならぬ)

謙信を待つ刻を稼いでくれるのは、もはや村上武吉しかいない。

(――武吉よ、毛利家の依頼を断れ)

隆景は、祈るような気分でいた。

9

安芸郡山《あきこおりやま》城での衆議が果てた二日後、乃美宗勝《のみむねかつ》と児玉就英《こだまなりひで》は、能島《のしま》に向かって軍船《いくさぶね》を走らせていた。

夏の芸予諸島を本州側の高台から俯瞰《ふかん》すると、その奇観に息を呑《の》むほどである。島というより巨大な山といった方がふさわしい濃緑の巨塊があちこちで突き出し、かなたの四国本土にまで連なっている。その山々を淡青《たんせい》の海が浸す様は、異界を思わせる美しさだ。

宗勝と就英が船上にあったのも、そんな季節である。関船《せきぶね》と呼ばれるこの時代の中型軍船二艘《そう》と、小早《こばや》と呼称する小型軍船六艘からなる船団で、島々に挟まれた水道を縫うように能島へと急いでいた。

小型船の小早は、公園などで乗るボートを五倍ぐらいの大きさにしたものを想像すれば良い。およそ二十人の水夫《かこ》が左右に十人ずつ分かれて櫓《ろ》を漕《こ》いでいた。船の大きさは櫓の数（一挺《ちょう》、二挺と数える）で表され、この場合は「二十挺立ての小早」ということになる。

一方、関船の形状は奇妙である。まず、25メートルほどの巨大なボートを想像してほしい。その上に、ボートの横からはみ出るぐらいの箱が乗っている。この箱のことを「矢倉《やぐら》」といい、矢倉の上板が現代でいう甲板《かんぱん》であった。「矢倉板」と呼ばれていた甲板は楯板《たていた》で囲われており、楯には銃眼が穿《うが》ってある。さらに甲板上には小さな小屋のごとき個室もあり、「屋形《やかた》」と呼んでいた。また、矢倉の中の船倉には左右各二十五人、計五十人の水夫が詰め込まれていて、櫓を漕いでいた。

「どこまでが一つの島で、どこからが海峡か、一見してお分かりにならんじゃろう」

関船の甲板上の船首にいた宗勝は、大きな頭を同乗した就英へと向けた。

（うるさい爺《じじい》だ）

就英が能島に赴《おもむ》くのはこれが初めてである。不機嫌な顔で、じろりと大頭を一瞥《いちべつ》すると、「ふん」と鼻を鳴らして再び前方を睨《にら》むように見た。

なるほど、ひと度、船に乗って海上から島々を見ると、その景色は一変する。ひとつの島が有する山々は襞《ひだ》をなして折り重なり、島々もまた幾十にも重なっているため、水路と思って山と山の間に入れば入江、入江かと思えば水路と複雑極まりない。

いま、就英の前方に続く海上にも、行く手を阻《はば》むかのように山が連なっており、どの山と山の間を行けば水路が開かれているのか、見当も付かなかった。

「こうして武吉《たけよし》めを説き伏せに能島に向かうとなると、厳島《いつくしま》合戦を思い出しますな」

宗勝は就英の機嫌も構わず、話を続けようとした。

（またぞろ昔話か）

就英は心中で舌打ちした。

厳島合戦は、二十一年前の天文二十四年（一五五五年）に起こった、毛利家にとって重大な意味を持つ戦《いくさ》である。

この厳島合戦当時、毛利家は三千程度の兵力しかなく、敵の陶晴賢《すえはるかた》は三万の大軍を擁《よう》していた。そこでいまは亡《な》き毛利元就《もとなり》が案出したのが、三万の軍勢を狭い厳島におびき寄せ、大軍の利を失わせて討ち取る軍略であった。

しかし、このとき毛利家は三千もの兵を一挙に厳島へ運ぶほどの船数を有してはいなかった。さらに言えば、敵軍三万が島から船で逃げ出すのを封じる水軍も不可欠であった。そこで元就が頼ったのが、村上海賊だった。

(そのとき能島へと口説きに行ったのが、この爺だったな)

就英は宗勝の禿《は》げ頭を横目で見つつ、そのことを思い起こした。

二十一年前にも宗勝は、武吉との交渉に臨んでいる。そのとき宗勝は、交渉に先立ち来島《くるしま》村上、因島《いんのしま》村上にも味方するよう説きに行った。しかし因島村上は承諾したものの、来島村上は「まずは武吉の意向を」と言うばかりで首を縦に振らない。能島、来島が味方せねば、三千の兵を輸送するのは不可能である。結果、毛利家の命運は武吉に握られたも同然となった。

当時、二十二歳の武吉はこの頃から腹の分からぬ男であった。味方に付くとも付かないとも返事をせず、行動でもってその腹の内を明かした。

武吉が、芸予諸島から村上海賊の大船二百艘を率いて瀬戸内海を西へ航行してきたのは、合戦の直前である。この時、すでに敵の三万の軍勢は厳島におびき寄せられており、毛利の軍勢三千は対岸の厳島を睨みつつ本州側にいた。

武吉がやってきた時、毛利家ではこれが味方なのかどうか分からなかったらしい。敵の陶晴賢からも村上海賊に誘いが行ったとの報《しら》せがあったからだ。厳島の方に行けば、武吉は敵に味方したということになる。やがて二百艘の大船団が本州近くの廿日市《はつかいち》沖で碇《いかり》を下ろしたとき、毛利家の兵たちはどっと歓声を上げたという。村上海賊が毛利に味方すると示されたのだ。

合戦は、毛利家の勝利で終わり、敵大将の陶晴賢は厳島で自刃《じじん》した。そしてこの合戦の勝利によって毛利家は、周辺領主たちの盟主に担《かつ》ぎ上げられ、山陰・山陽十カ国を有する大大名にまでのし上がっていく。その大躍進は、村上武吉なしでは決して為《な》し得なかった。

就英は、厳島合戦当時まだ十二歳で参戦はしていないが、毛利家にとって、この戦が持つ重みと、武吉の功績は当然のごとく知っている。しかし、

（それから二十年以上経つにもかかわらず、いまだに一海賊衆の出方に毛利家の進退がかかっておるとは）

そのことが忌々《いまいま》しくてならない。

「厳島合戦のときは元服《げんぷく》前だ。わしは知らん」

宗勝の言葉を両断する勢いで言い放った。

ちなみに就英の宗勝に対する言葉遣いは、年長の者に対するそれではない。これは、就英が本家である毛利家の直臣で、宗勝が毛利家の分家である小早川《こばやかわ》家の家臣だから

だ。そのせいか宗勝は、

「左様、元服前でござったな」

と就英の言葉に怒るわけでもなく、ただ寂しげに笑うだけだったが、怒らぬのは毛利家での序列を意識してのことではなかった。

就英は、宗勝の反論がないのに乗じて冷笑しつつ言う。

「しかし、その能島村上も、いまや三島《さんとう》を束ねるほどの威勢はないようだな。五年前の戦の折りには宗勝、お前に因島も来島も味方したではないか」

事実であった。五年前、毛利家の命で能島に攻め寄せたのは、小早川隆景《たかかげ》有する水軍、すなわち乃美宗勝の警固衆であった。因島村上は毛利家の配下ゆえ毛利に味方し、来島村上もまた宗勝の側に立ったのである。

「時代が変わったのでござるよ。因島村上も来島村上も、自家を存続させるには毛利家が必要なのじゃ。じゃが、武吉だけはいずれの家中にも臣従することなく、独立を保っておりまするな」

と宗勝は応じる。だが語調は妙である。言葉の前半こそ寂しげな笑みを浮かべて語っていたが、その後半には鼻息が荒くなっていた。

（この爺、武吉めを気に入っておる）

就英は眉《まゆ》を顰《ひそ》めたものの、そうなると武吉の人となりが気になってくる。

(どんな男か)

それを宗勝に問うた。

「左様」

宗勝はうなずくと、ほとんど我がことのように誇らしげな調子で語り出した。

「一口には申せませぬが、誇り高く、怜悧《れいり》かつ豪胆、そして何より強情者にござるな。もっとも外見上は穏やかな小男としか見えませぬ。じゃが、その将器は、先君元就公でさえ御遠慮なされたほどの男にござるわ」

『武家万代記』によれば、毛利元就はその在世当時、三十六も歳《とし》が下の武吉をつなぎとめておこうと大いに心を砕いたようである。武吉が幼少の子供らを連れて郡山城に赴けば、膝《ひざ》の上に子供らを乗せて手ずから食を与え、武吉の家臣まで御座の間へ召し出し、武吉と気心が通じている様を印象付けようとしたという。

「じゃが、いまの御屋形様は、その呼吸がお分かりにならぬようでござるな。海賊衆などどこにいるのかといった風じゃわ」

「元就様御代ト輝元《てるもと》様御時代之儀者(ハ)御軍法其他少々差引(減ること)次第ニ出来申候」

同じく『武家万代記』には、村上海賊たちのこんな不満が記されている。元就が死んで輝元の時代となると、村上海賊の扱いに細やかさがなくなったのである。破竹《はちく》の勢いの毛利家とともに成長した輝元は、その功労者に対する配慮を欠いていたのだ。

「武吉が一時期、毛利を見限ったのも、案外この辺りに根があるのかも知れませんな」

と宗勝が語るのは、自身も似たような思いを抱いているからだ。この古強者《ふるつわもの》は厳島合戦で武吉と共に海上で戦い、武功を挙げている。しかし、その武功も輝元の代になると、年若の者の口の端《は》に上ることもなくなっていた。挙句《あげく》には、就英から「厳島合戦など知らぬ」と言い放たれる始末である。

いかに武功を挙げていようとも、若い者は実見していないだけに関心は薄い。知ってはいても、宗勝にその武功を尋ねようとはしなかった。早い話が毛利家当主の輝元だ。二十一年前、あれほど苦労して口説き落とした村上海賊を、うろ覚えであった。何やら手柄を立てるのもむなしい気さえしてくる。

(これが歳というものかな)

宗勝が四十九という歳の割に老《ふ》け込み、就英の暴言に怒らなかったのもこのためであった。

老け込み男は、似合いの陰気な口調で言葉を継いだ。

「もっとも、その能島村上の威勢も、武吉の代で終わりかも知れませぬがな」

「なぜだ」

就英は微《かす》かに目を輝かせて問い返した。

「無念なことに、跡継ぎに武吉ほどの男がござらん」

宗勝は能島を攻めた際、武吉との和議の交渉の席で、その息子たちと会っていた。長男を元吉《もとよし》、次男を景親《かげちか》といった。この天正四年時は、それぞれ二十三歳と十九歳になっているはずである。

「嫡男《ちゃくなん》元吉は、武吉の怜悧さは受け継いだものの豪胆さに欠け、次男景親は穏やかさだけを引き継いだようですな」

「いかにも無念な話だな」

就英は冷笑交じりに返答するが、宗勝の本意はそこにはない。禿げ頭を横に振り、

「いや、無念なのは」

と、その意を告げた。

「武吉の海賊らしい剛勇と荒々しさを引き継いだは、女子《おなご》じゃったということにござるわ」

10

「女子、実の娘か」

児玉就英《こだまなりひで》は不審げに問い返した。武吉《たけよし》に実の娘がいると聞いたことはない。武吉の娘と言えば養女しかないはずである。琴姫《ことひめ》と言うらしいが、剛勇で荒々しいという話は聞かない。

実は現在、武吉に実の娘がいたとする記録はひとつしかない。『北畠正統系図』などの能島《のしま》村上の家系図ではこの娘の名は欠落しており、わずかに『萩藩譜録《はぎはんふろく》』に記されているのみである。

能島から海上の西十六里（約63キロ）以上も離れた安芸草津城に居を構え、村上海賊をことさらに無視しようとした就英が、そのことを知らなかったのも無理はない。だが、能島から北西わずか五里（約20キロ）のところに位置する賀儀《かぎ》城主で、武吉とも交渉した経歴を持つ宗勝《むねかつ》は、よく知っていた。

「左様、実の娘にござる。兄が元吉《もとよし》、弟が景親《かげちか》ですな。歳は二十歳にもなりましょうか。名を景《きょう》と申す」

「キョウとな」

「我が主《しゅう》、小早川隆景様が偏諱《へんき》をお与えになりましてな」

偏諱を与えるとは、他家との結び付きを強固にするためにしばしば取られた措置で、名前の一字を授けることである。歴史上の人物に似たような名前が多いのはこのためだ。

毛利家としては、偏諱を与えることで能島村上に格別の親しみを示そうとしたらしい。武吉の嫡男である元吉の「元」の字は毛利元就から、次男である景親の「景」は小早川隆景からそれぞれ授かった。武吉の実の娘もまた、隆景から「景」の字をもらい、呉音《ごおん》で「キョウ」と発するようにしたのだと宗勝は言う。

「女子に偏諱をな」

就英が妙な顔をするのも道理である。偏諱は、男子に対して与えるのが普通だからだ。

「あの姫」

宗勝は往時を思い起こしたのか、懐《なつ》かしげに目を細めた。

「隆景様にお目見えした折、相撲を挑みおりましてな。まだ姫が五歳の頃でござった。隆景様もこれを愉快がり、戯《たわむ》れに偏諱をお与えになったということにござる」

村上武吉は次男の景親を披露する際、長女も伴い、そこで娘は「景」の字をもらった。宗勝もその場にいて五歳の景を見たのだが、それ以来この娘とは会ったことがないという。

(小早川の御当主も妙なことを)

就英は意外の念を抱いた。普段、考え事ばかりして、沈鬱《ちんうつ》な顔でいるあの隆景が戯れなどとは、どういう娘だったらそうなるのか。

「じゃが、この景、長じて希代《きたい》の荒者《あらもの》になったばかりか、大層な醜女《しこめ》じゃとも聞き及んでござる。それゆえ、二十歳になったいまでも嫁の貰《もら》い手がないそうな」

(二十で、独り身か)

就英は思わず眉を顰めた。

政略結婚が横行する戦国時代でも、女の美醜は大いに問われた。美しければ、引く手数多《あまた》で、でなければ相手にされない。人並みであれば十代のうちに輿入《こしい》れするが、いまだ相手もいないとは、よほどの醜女なのだろう。

(それに加えて荒者とは、話にならん)

就英自身、このとき独身だが、生まれ持った条件は天地の開きがある。華も実もある就英には、縁組の話はごまんとあった。この男特有の権高さで、これまで蹴ってきたに過ぎない。そういう恵まれた男から見れば、景という娘はどこか哀れみさえ覚える。

(村上武吉もやっかいな娘を抱えておるものよ)

ほくそ笑んでいると、宗勝が顔を覗《のぞ》き込んで下卑《げび》た笑いを浮かべてきた。

「就英殿は良き男振りゆえ、景めに気に入られて頭からかじり付かれてしまうやも知れませぬな」

(何を馬鹿《ばか》な)

就英が軽蔑《けいべつ》の目を宗勝に向けたときであった。

一艘《そう》の船が、後方から追い付くなり、たちまち追い越していった。就英らの乗る関船の半分ぐらいの大きさで矢倉を上げていないから、人と物を湊《みなと》から湊へと運ぶ廻船《かいせん》であろう。舷側《げんそく》から突き出た櫓を凄《すさ》まじい速さで旋回させて、矢のような速さで海面を滑り去っていく。

みるみる小さくなっていく廻船の尻を、就英が見詰めるうち、

「おおい、こら！　待たんか」

と、さらに後方から遠く声が聞こえてきた。

楯板《たていた》の上から顔を出して後ろを見やると、追い掛けてきたのは関船である。近付い

てくる船腹には、丸に上の字の家紋が大書されていた。紛れもなく村上海賊の家紋であった。

村上海賊の関船は、就英らの乗る関船の横で船足を落とすと、併走し始めた。見れば、船上では四十歳ぐらいの男が「馬鹿者どもが、逃げおってからに」と廻船に向かってぼやいている。

「関を破ったのかな」

宗勝が男に声を掛けた。すると、男は廻船からこちらに目を移し、初めて二人に気付いたかのように慌《あわ》てて辞を低くした。

「や、これはこれは宗勝殿。就英殿もご一緒にござるか」

(吉充《よしみつ》か)

就英は、にこりともせずにその男を見た。

因島《いんのしま》村上家の当主、村上吉充である。

村上海賊の履歴を記した『能島来島《くるしま》因島由来記』に、「因島青影《あおかげ》城主、立花以下九ケ城主」とあるのが、この男だ。天正四年(一五七六年)のこの時期は、因島島内の北西端にあった青木城を主城としていた。先に宗勝からこの日に能島へ赴《おもむ》くとの報せを受け、因島から南方およそ五里(約20キロ)の能島へと向かうところであった。

優男《やさおとこ》である。絶えず笑っているような細められた目と、口角の上がった口は、若い就英とは異なる四十男の甘い魅力に満ちていた。

因島村上は、すでに毛利家に取り込まれ、小早川隆景の支配を受けている。そのため か、毛利家の直臣と、その分家である小早川家の重臣に対してやたらと腰が低い。優男の吉充が揉《も》み手《で》をせんばかりの勢いでいると、就英はその卑屈さが身に纏《まと》わり付いてくるようで不快ですらある。

（それでも海賊か）

心中で眉を顰めていた。

吉充は大げさな手振りで去り行く廻船を指しながら、事情を説明した。

「左様、我が関船にてあの船、検《あらた》めんとしたのでござるが、あ奴《やつ》ら逃げ出しおりましてな」

海の関所とはいいながら、海上に関所を設けているわけではない。砦《とりで》で通行する船を発見すると、関船を寄せてその船を止め、通行料である帆別銭《ほべちせん》を徴収するのである。すなわち関船そのものが、海の関所なのであった。

「もはや、追わぬのかな」

宗勝が質《ただ》した。

うである。

「追いませぬ。というより追えませぬ」

そう口角を上げて答える吉充に、宗勝は「ああ、そうか」と早くも合点がいったよ
(何だ)

と怪訝《けげん》な顔をする就英に、吉充は告げた。

「あ奴ら、能島村上の領分に入ったのでござるよ」

途端、法螺貝《ほらがい》の上げる高音が、波音をつんざき鳴り響いた。

音は一つではない。島々のあちこちから法螺貝の雄叫《おたけ》びが上がっている。

「伊予路《いよじ》ニ乗候ヘハ(バ)来島衆相究《あいきわめ》、備後《びんご》ハ因ノ島ニテ帆別取候テ」

『武家万代記』によると、芸予諸島の海域において帆別銭を取る領分が、三島《さんとう》村上の間でそれぞれ定められていたという。伊予国(愛媛県)付近を通行する船は来島村上が帆別銭を取り、備後国(広島県東部)付近は因島村上が取るのだ。

能島村上は、伊予路と備後路の間、つまり芸予諸島の織り成す大半の海域を押さえていた。廻船が入ったのは、この海域である。

(これか)

就英は法螺貝の大音響の中、廻船へと目をやった。見れば、周囲の島陰という島陰

から次々に小早《こばや》が群がり出て来ている。四方から廻船目掛《めが》けて漕ぎ寄せる様は、獲物《えもの》に襲い掛かる猟犬の群れのようであった。

(これが、能島村上の海賊働きか)

就英が刮目《かつもく》する傍らで、吉充がつぶやいた。

「我ら因島村上に捕らえられた方がどれだけましか」

吉充の言う通りであった。廻船に乗った者どもは、そのことを身をもって知るはずである。

11

「お頭領《かしら》、えらいことじゃや。能島《のしま》村上の領分に入ってしもうた！」

法螺貝《ほらがい》の重奏の中、混乱に陥った廻船の甲板で、水夫《かこ》の一人が喚《わめ》いた。

「言わんでも分かっとる」

お頭領と呼ばれた男は水夫の方を振り返った。四十絡《がら》みの凶相である。急いで船板を引き開け、甲板下の船倉を覗《のぞ》き込んだ。

船倉には、二十人ばかりの客が押し込められていた。そのまわりを、十人ほどの手下が刀を抜いて取り囲んでいる。客はいずれも貧しい野良着《のらぎ》姿だ。この頭領は、百姓たちの積荷を奪おうとしていた。

「おい、こ奴らが声の一つも上げれば全員叩《たた》き斬《き》れ」

頭領が命ずると、手下たちは、「へい」と応じ、百姓たちに向かって刀の切っ先を突き付けた。

百姓たちは竦《すく》み上がったが、何も刀のせいばかりではない。見せしめのために絞め殺された百姓の屍骸《しがい》が、いやが上にも恐れを募《つの》らせていた。

「諸国往来之人ヲ乗セ船中ニテ〆（絞め）殺シ申之由《もうすのよし》」

『武家万代記』によると、この時代の海上ではこんなことが度々あったらしい。廻船だと偽り、客を乗せては殺害し、積み込んだ財産を奪うのである。

頭領は屍骸を示し、怯《おび》える百姓の一人に命じた。

「おのれはその骸《むくろ》を抱いておれ。ええか、それは骸じゃのうて病人じゃ。分かったな」

能島村上の海賊衆が乗り込んできた際、口実に使うつもりであろう。そう言い捨てたとき、客の中に、年端《としは》も行かぬ小僧と枯れ木のごとき老人がいるのに目が止まった。

「そこの爺《じじい》と小僧、上がって来い」

「わしだけでいいじゃないか！」

抗《あらが》ったのは小僧の方である。皆から離れて甲板に上がるのは心細かろうに、この小僧は爺を庇《かば》うべく頭領を昂然《こうぜん》と睨《にら》み上げていた。

「留吉《とめきち》、やめるんじゃ」

小僧を黙らせようと爺がその名を叫んだが、留吉と呼ばれた小僧は、頭領から目を逸《そ》らそうとはしない。爺を背に庇いながら豪語した。

「源爺《げんじい》は船倉におれ。わしは死ぬことなんか全然、恐《こわ》くはないんじゃから」

「ちっ」

頭領は舌打ちした。もはや時間がない。もたつく間に能島村上の海賊衆が、この船に群がり登ってくるだろう。

「小僧だけ来い！」

頭領は留吉を引っ張り上げるや、船板を叩き付けるようにして船倉に蓋《ふた》をした。甲板には七人ほどの手下がいる。その一人に向かって留吉を突き飛ばした。

「小僧を抱え込んでおけ、騒ぐようなら殺《や》れ」

すぐさま手下は留吉を後ろから抱えた。船端を背にしてしゃがみ込み、短刀を小僧の背に擬《ぎ》すのも忘れない。頭領がそれを見届け、船首に向かおうとすると、

「おい」

留吉が呼び止めた。不敵な顔で見上げて言う。

「おのれら小悪党なんぞ、海賊を前にすりゃひと溜《たま》りもないわ」

「いますぐ殺してやろうかっ」

そう喚く声とはうらはらに、頭領の顔には凶相に似合わぬ怖《おそ》れの色が浮かんだ。勝ち誇ったように口をつぐむ留吉に背を向け、

「くそっ」

とその場を離れたが、四方を見渡すなり息を呑《の》んだ。

停止した自らの廻船が、五十艘近くの小早《こばや》によって包囲されていた。十間《けん》（約18メートル）ほどの距離を置いて取り巻く小早には、櫓《ろ》を漕ぐ水夫二十人のほかに十人程度の兵がそれぞれ乗っている。皆が皆、褌《ふんどし》に胴丸《どうまる》を着ただけの勇ましげな軽装で、抜き身の刀を片手に、前のめりになって眼をぎらつかせていた。

「うっ」

恐怖で萎《な》えた脚に力を込めながら、頭領が舳先《へさき》の方に目をやると、小早の群れを割って出現したのは巨大な関船《せきぶね》である。関船は周囲の小早を圧しつつ抜き去り、みるみるこちらへと迫ってくる。

「あれは――」

頭領は関船の船首に目を凝《こ》らした。

一人の海賊が、船首の楯板《たていた》に乗り上がり、全身を曝《さら》して屹立《きつりつ》していた。どういう体術なのか、足場もわずかの楯板の上で真っ向から風を受けながら、腕を組んだまま身《み》動《じろ》ぎ一つしない。

装備は軽装そのものである。胴丸は付けず、防具とも言えぬ脚絆《きゃはん》と手甲《てっこう》を脛《すね》と腕に巻き、刀は一本だけ小袖《こそで》の帯に落とし差しにしていた。その小袖がまた異風であった。袖はなく、肩は剝《む》き出しで、裾《すそ》は太腿《ふともも》の付け根が露《あら》わになるほど思い切って短かった。髷《まげ》も結っておらず、肩までの髪を海風に靡《なび》かせ、傲然《ごうぜん》と廻船を見下ろしていた。

「あの関船の男、何やら異様な」

とつぶやくのは、廻船の後方半町（約55メートル）のところで船を止めた児玉就英《こだまなりひで》だ。関船の上の海賊は、身《み》の丈《たけ》六尺（約１８０センチ）におよびそうな長身だが、妙に細長い。

「女子《おなご》にござりまするよ、あれは」

横に並んだ関船から、因島《いんのしま》の村上吉充《よしみつ》がその不審に答えた。聞くなり、宗勝《むねかつ》が禿《は》げ頭に血を昇らせ、叫ぶように言った。

「懐かしや。ならば、あれが景姫《きょう》か」

「左様、あ奴ら、もっとも忌《い》むべき者を呼び寄せ申した」

能島村上家当主、村上武吉《たけよし》の娘、景姫がこれであった。

長身から伸びた脚と腕は過剰なほどに長く、これもまた長い首には小さな頭が乗っていた。その均整の不具合は、思わず目を留めてしまうほどである。

最も異様なのはその容貌《ようぼう》であった。

海風に逆巻く乱髪の下で見え隠れする貌《かお》は細く、鼻梁《びりょう》は鷹《たか》の嘴《くちばし》のごとく鋭く、そして高かった。その眼は眦《まなじり》が裂けたかと思うほど巨大で、眉は両の眼に迫り、眦とともに怒ったように吊《つ》り上がっている。口は大きく、唇は分厚く、不敵に上がった口角は、鬼が微笑《ほほえ》んだようであった。

景は、前方の廻船に目を据えたまま大口を開けるや、高音の良く響く声で足元に控えた兵に命を放った。

「我が関船の艫《とも》を廻船の腹に付けよ！」

敵の船に乗り込む際、船尾を相手の船腹に付けるのが常道である。乗っ取りを掛けるとの合図であった。

「御意《ぎょい》っ」

兵は目を輝かせ、船尾の方へ駆け出した。甲板の後方には船倉に通じる出入口がある。その出入口へ飛び込んで階段を駆け下り、櫓を漕ぐ水夫どもに景の下知《げじ》を伝えた。

「反転させい！　艫を廻船に付けるんじゃ。姫様が乗っ取りを掛けるぞ」

「おっしゃ」

と叫んだのは水夫たちではない。船倉に屯《たむろ》していた兵どもである。眸《ひとみ》に凶暴な光を帯びさせるや、どっと出口に殺到した。

この間、楯板の上で仁王立ちしていた景は甲板に飛び降りている。そこへ、

「姉者、姉者」

と叫びつつ、船尾の方から景の弟、景親《かげちか》が駆け付けてきた。景を超すほどの長身だが、その眉は姉とは逆の八の字を描き、いまにも泣き出しそうな顔でいた。

「やめてくれ、姉者」

旋回を始めた船の上を早足でどんどん船尾へ向かう景に、縋《すが》り付くようにして懇願《こんがん》した。景は歩みを止めず、面倒臭そうに眉根を寄せると、

「るっさいな、お前は。何だよ」

「姉者自身が乗っ取りを掛けんでもいいじゃないか」

「馬鹿め」

景がにべもなく答えたところで二人は船尾に着いた。

景は船尾の楯板に脚を掛け、

「こんな面白いこと、他の奴にやらせてたまるか」

言うや、魔物そのものの笑みを浮かべて再び楯板の上に屹立した。その勇姿に、周囲の小早の兵たちからは割れんばかりの歓声が挙がった。

関船は旋回を終えている。轟音《ごうおん》とともに廻船の腹へと船尾を激突させたが、景はその衝撃にも動じることはない。不動のまま、はるか下方の廻船に巨眼を据えた。

就英は、丁の字を描く関船と廻船を後方で凝視している。真っ先に廻船に乗り込むべく、関船の船尾に立つのは、あの長身の女であった。

「自ら乗っ取る気か」

驚いて訊《き》くと、吉充は半《なか》ば諦め顔で答えた。

「いつものことにござるよ」

景姫自らの海賊働きを芸予海域の海賊で知らぬ者はなく、一種の名物にまでなっている。が、それを目にした就英は驚いた後には冷笑を浮かべていた。

「何が荒者《あらもの》だ。数を頼んで居竦《いすく》んだ者たちを脅し上げておるだけではないか」

廻船の周囲で小早が群れを成す中、単身乗っ取りを掛けても、敵の抵抗に遭《あ》うとは思えない。

「所詮《しょせん》は姫御前《ひめごぜ》のお遊びよ」

と、鼻で笑った。

「それならまだ可愛《かわい》いのでござるがな」

吉充はそう言って首を横に振る。

「一人小早を操っていた折、帆別銭《ほべちせん》も払わず狼藉《ろうぜき》まで働く九州の侍に出会《でくわ》しましてな。十人すべて首級《くび》にしてござった」

「腕が立つのか」

真顔になる就英に、吉充は、

「左様、それゆえますます輿入れ《こしい》の話がなくなり申した」

12

歓声の中、景《きょう》は景親《かげちか》に叫んでいる。

「三島明神《みしまみょうじん》の鶴姫《つるひめ》だってこうするぞ」

これまで単身で乗っ取る際、繰り返し発してきた文句だ。吠《ほ》えたと見るや、勢いよく楯板《たていた》を蹴った。

「姉者！」

景親は手を伸ばすが摑《つか》みそこねた。宙へと躍り上がった姉の体は、廻船に向かってもう急降下している。それと同時に、景親の残された関船の甲板で異変が起こった。

「景親殿、ちょいと御免《ごめん》」

と喚《わめ》きながら、船尾に殺到してきた兵たちが、景に続くべく我先にと楯板によじ登り始めた。

「ちっ、やっぱりこれかよ」

景親は顔を顰《しか》めた。

いつもの狂騒であった。兵どもは、景が動くや否《いな》や加勢しようと躍起《やっき》になる。景親が景を止めようとしたのも、これが起こると分かっていたからだ。別に姉が危険に曝《さら》されるのを止めようとしたわけではない。

「いいんだよ、お前たちは。何人乗る気だよ。また姉者ごと船が沈んじゃうだろが」

以前、景が乗っ取った商船に兵どもが殺到して、重さに耐え切れず沈んでしまったことがある。結果、帆別銭を取るどころか、損を被《こうむ》る羽目《はめ》になった。

「いいから行くなって」

弱腰の男ではあったが、身のこなしは長身に似合わず素早かった。船尾のあちこちに身を移し、手を伸ばしては、次々に兵を甲板へと引き戻した。しかし、兵たちも目の色が変わっている。兵の一人は「離せっ」と身をよじり、景親に肘鉄《ひじてつ》まで食らわせた。

「痛っ、何でわしが」

が、姉の尻拭《しりぬぐ》いはいつも弟の役目だ。涙目で兵どもの首根っこを引っ張り続けた。

もっとも、こんな騒ぎも長くは続かない。

景が廻船に勢いよく着地し、豊かな胸を張って立ち上がるや、怒声を放った。

「こらぁ、お前ら!」

その途端、関船の兵どもは凍りついて動きを止めた。景親と兵たちが、恐る恐る眼下の廻船を覗《のぞ》き込むと、景が物凄い顔でこちらを見上げている。

「また助太刀《すけだち》なんぞと邪魔しに来てみろよ。ただじゃ済まんからな!」

聞くなり、あれほどの狂態を演じていた兵たちが、身を乗り出していた楯板からしおしおと降り始めた。降りると、叱《しか》られた犬のような顔を楯板の上に並べた。

「お前らもじゃ!」

景は身を翻《ひるがえ》し、今度は周囲の小早に向かって叫ぶ。下知《げじ》を待たずして廻船との距離を縮めていた小早も、女の一吠えが向けられるや、即座に櫓《ろ》を海中から引き上げ大人しくなった。

「ふん」

景は片付いたとばかりに鼻を鳴らすと、廻船の者どもを見渡し鋭い声で問うた。

「能島《のしま》村上じゃ。船頭はおるか」

（――能島じゃったのか）

戦慄《せんりつ》しながら、ごくりと唾《つば》を飲み込んだのは、手下に背後から刀を突き付けられている留吉《とめきち》である。

子供の留吉でさえ、その名は知っていた。悪鬼のごとき能島村上ならば、この小悪党どもを退治してくれるはずである。期待の眼差《まなざ》しで二間《けん》（約3・6メートル）ほど先の景を見上げた。

女海賊は長い腕を組んだまま、甲板上を睨《ね》め廻していた。せっかちなのか、とんとんと、しきりに指を二の腕に打ち付けている。その度に赤銅色《しゃくどういろ》に焼けた小手の肉が、中で蛇でもうねっているかのように脈動する。腕に覚えもありげであった。

（とは言っても、何で女一人で船に上がってきたんじゃろ）

留吉は訝《いぶか》しく思ってその顔を凝視《ぎょうし》した。よく見ると、女は鬼のごとき勇壮な面つきではあったが、どうも思慮の浅げな様子である。急に不安になった。

「船頭はおるか」と女海賊に問われ、「私《わっし》が」と名乗り出たのは、最前、留吉が悪態をついた凶相の頭領《かしら》だ。

「お前か」

景は船頭と称する頭領にずいと歩み寄った。恐ろしげな顔では景も全く引けを取らない。ぐいと中背の頭領を睨《にら》むように見下ろすと、

「おのれらは能島村上の領分に入った。上乗《うわの》りはおるのか」

と尋《たず》ねた。

――東より来る船は、東賊一人を載せ来たれば即《すなわ》ち西賊害せず。西より来る船は、西賊一人を載せ来たれば即ち東賊害せず。

このときから百六十年近く前、瀬戸内海を通り、朝鮮から京都までを往復した李氏《りし》朝鮮の官人、宋希璟《そうきけい》の紀行文『老松堂日本行録《ろうしょうどうにほんこうろく》』にはこんな一節がある。

東西を行き来する廻船は、海賊を一人載せれば、これがそのまま通行手形となり、安全に航行できたという。これを「上乗り」といい、景が訊いたのもこのことであった。

頭領は似合わぬ恐縮の体《てい》を作り、

「生憎《あいにく》、上乗りの海賊衆はお乗りになってはおりませぬ」

この返答に、景は重ねて訊いた。

「ならば旗か免符《めんぷ》があるのか」

旗と免符は、村上海賊の履歴について記した『武家万代記』や『能島家根本覚書《こんぽんおぼえがき》』などにあるもので、通行料である帆別銭《ほべちせん》を支払うと、与えられる通行許可証である。ちなみに通行旗はこのときから五年後の天正九年（一五八一年）に能島村上の当主、村上武吉《たけよし》が発行したものが現存している。横約60センチ、縦約75センチの布に「上」と大書された簡素なものだが、当時の船はこれを掲げ、海上の安全を確保したのである。

「それも持ち合わせてはござりませぬ」

と頭領は言う。ここを通行する船ならば当然、載せているはずの人も物もないというのだ。

「ん？」

景は、口を尖《とが》らせ眉根を寄せた。不思議な女であった。この顔になると表情から恐ろしげな様子が消え去った。無邪気ともいうべき思案顔になって、長い腕を組みながら「おかしいな」と考え込んだ。

「おのれらは西と東のどっちから来たんだ」

「西からでござりまする」

「西ならば、赤間関《あかまがせき》か上《かみ》ノ関《せき》で帆別銭を払った上で、免符なりをもらったはずだろう。なぜないのだ」

景は突っ込んだが、その疑問も当然であった。芸予諸島より西から航行して来たならば、赤間関（山口県下関市）か上ノ関（同県熊毛郡上関町）の海関に引っ掛かっているはずなのだ。

すると頭領はさらに身を縮め、

「実は私《わっし》らは、安芸国《あきのくに》高崎の者にござりまする。帆別銭は因島《いんのしま》にて払おうと東へ向こうておりましたところ、客に病者《びょうじゃ》が出申したゆえ、詮方《せんかた》なく引き返すところじゃったのでござりまする」

「ああ、そうか」

景は眉根を開いた。

安芸国の高崎ならば、景も知っている。能島の北西五里、因島の西方同じく五里のごく近くにあり、赤間関、上ノ関から見ればずっと東方の小さな湊だ。西から来たとて両方の関を通過していないのも当然であった。高崎を出て東進したが、因島に差し掛かる前だったというなら、帆別銭を払う機会はなかったはずだ。

「病人は」

景が問うと、

「船倉に、おりまする」

というので、船板を開けさせ下を覗《のぞ》き込むと、老若《ろうにゃく》数十人の百姓と水夫《かこ》がいた。その中に、ぐったりした病人らしき百姓が、他の百姓に抱えられているのが見えた。真っ青な顔で死人同然である。

景は頭領に振り返って言った。

「死んでるみたいじゃないか」

(死んでるんじゃっ)

傍《そば》でやり取りを聞いていた留吉は、そんな海賊の娘を心中で罵《ののし》った。

頭領の言ったのは、無論、真っ赤な嘘《うそ》である。

留吉ら二十人を乗せて廻船が安芸高崎を出航したのは事実だが、頭領たちはその途端に百姓の一人を絞め殺し、積荷を押さえた。村上吉充《よしみつ》の乗る因島村上家の関船に見付かったのはその後すぐのことである。船を検《あらた》められれば犯行がばれる。当然、逃げた。

（それをこの姉ちゃんは）

さっきから話を聞いていれば、この女海賊は、悪党の頭領の言い分をするすると呑み込み、疑う様子もない。いまも、

「急を要しますゆえ、早々に高崎へ戻らんとしたところ、海賊衆のお姿が見えたのでござりまする」

との頭領の申し開きに、「それで恐ろしゅうて逃げたというわけか」と同情する風でさえある。

（海賊のくせに人の良い）

留吉は女海賊を睨んで歯《は》噛《が》みした。

「ならば関は通らず高崎へ戻るというわけじゃな」

と訊かれ、

「左様で。幼子《おさなご》も恐れておりまするゆえ、何卒《なにとぞ》この辺で御《ご》勘弁《かんべん》を」

頭領はぬけぬけと留吉の方を手で指し示しながら、小腰を屈《かが》めている。女の目には、留吉の姿は、怯《おび》えるのを後ろから父親に抱きかかえられた子供のごとく映っているに違いない。頭領が留吉をわざわざ甲板に引っ張り出したのは、このためだった。

だが、小僧にとっての好機はこの後すぐに訪れた。

「幼子ね」

と言いながら、女海賊がこちらに歩み寄ってきたのだ。

(今じゃ)

幸い、女海賊の陰になって悪党どもから留吉の顔は見えない。留吉は目玉を上にあげ、左右に動かし、なんとか背後で短刀を突き付ける手下に注意を向けさせようと必死の形相を作った。

想《おも》いが通じたのか、女海賊が留吉の顔をまじまじと見詰めてくる。

(やった)

と思ったが、その直後には落胆せざるを得ない。

「おい小僧、なに白目剝《む》いてんだよ」

ぷっと噴き出すと、女海賊は背を向けて頭領の方へと大股《おおまた》で戻って行ってしまった。

(すごい馬鹿だ、あの姉ちゃん)

あの小さな頭には鼠《ねずみ》ほどの脳みそしか入っていないらしい。黒目を元に戻した留吉が肩を落としたとき、背中に小さな痛みを感じた。女海賊の言葉で、後ろの手下が留吉の妙な動きに気付いたようだった。

（まずい）

と焦《あせ》ったのは、死が恐ろしいからではない。数年来の悲願が果せなくなるからだ。

（このまま見殺しにされたら、わしらは御恩返しができん）

留吉は女海賊の後ろ姿に、どうか気付けと無言で願った。

しかし、頭領の目の前で足を止めた景は、話を終えようとしていた。

「ほかに申すことはないか」

「いや、ただただお見逃しを」

と頭領は繰り返し頭を下げる。

景は大きく息を吐き、関船を見上げて呼ばわった。

「おい、景親。こりゃ帆別銭は取れんぞ」

景親にも、景と頭領とのやり取りは聞こえている。

「そうでしょうな。関を通らぬ以上、取れませぬわ。勝手な真似《まね》をすれば、また兄者に叱られますぞ」

兄者と聞いて、景は一瞬、ぎょっとなった。が、すぐに気を取り直すと、もったいぶった調子で言う。自分だけが解けた謎《なぞ》をこれから明かすかのような、得意げな調子であった。

「帆別銭が取れぬのは、関を通らぬが理由ではないわ」

「なら何ゆえにござるか」

景親が面倒臭いながらも問うてやると、その答えは景ではなく留吉から返ってきた。

「こいつら悪党じゃ。海賊の姉ちゃん、叩き斬ってくれ」

この身を刺し貫かれても、声を上げるしかない。留吉は意を決して叫んだ。

それに対して景が上げたのは不満の声だ。

「あ、それ言おうと思ってたのに！」

一方、関船の景親は、とっさのことで事態が呑み込めない。

「姉者、一体何のことじゃ」

と船端から身を乗り出したが、そのときには留吉の命は消えようとしていた。留吉の声が上がるなり、背後の手下が短刀を掻《か》い込んでいる。小僧の背を刺し貫かんと、握った短刀の柄《つか》に力を込めた。

その瞬間、

「こいつら全員叩っ斬るからさ」

景は小さく言うや、背後の留吉に向かって頭領の前から跳躍した。宙で身を反転させつつ刀の柄を摑み、瞬《また》く間に留吉の眼前に降り立つと、その後ろの手下に向かって斬撃《ざんげき》を放った。

（えっ）

留吉はその太刀筋《たちすじ》をとらえきれない。目の前に刀の柄があったはずだが、それが光を発したと見るや、たちまちにして元の柄へと姿が戻っていた。

電光のごとき抜き打ちである。断ち切られたにもかかわらず、手下の首はまだ胴に載っていた。

留吉が振り返ると、手下は白目を剝き、首の切り口からはみるみる血が溢《あふ》れ出ているる。短刀は我が身を貫いてはいない。とっさに景の足元へと這《は》い進んだ。

「小僧、無事か」

景は留吉を素早く見下ろした。

が、小僧は礼も言わずに難癖を付けた。

「気付くのが遅いんじゃ。さっき色んな顔したじゃろが。馬鹿じゃな姉ちゃんは」

「なにぃ」

景は色をなした。

確かに景は、留吉の表情を読み取ることはできなかったものの、別の理由で悪党どもの凶行に気付いていた。留吉の背後の手下の額に、短刀に反射した陽光が小さく差していた。それで見抜いたのに百姓の小僧に詰《なじ》られては癪《しゃく》だ。

「初めから分かってました。船に乗ったときから気付いてました」

と小嘘《こうそ》を交えて否定したが、留吉は言い返す。

「わしが教えてから斬ったじゃないか」

「斬ろうと思ったら、お前が先に喚きだしただけ」

（いくつだよ、この姉ちゃん）

と齢《よわい》わずか十歳の留吉が思うぐらいだから、よほどの餓鬼《がき》なのだろう。留吉には、歯をむき出しにして強弁《きょうべん》するこの女海賊が、何やら近所の悪餓鬼程度にしか見えなくなった。

ようやく手下の首が落ちた。主を失った胴はその切り口から盛大に血を噴き出し、それと同時に周囲の小早《こばや》からは、割れんばかりの喝采《かっさい》が上がった。

突如、廻船で噴出した血飛沫《ちしぶき》は、後方の関船にいる乃美宗勝《のみむねかつ》や児玉就英《こだまなりひで》たちにも見えた。

小早の海賊どもが沸き返る中、

「噂《うわさ》はまことじゃったの」

宗勝はうれしげに目を細め、就英は、

「あいつ、斬りおったのか」

と眉《まゆ》をひそめた。隣の関船では因島の村上吉充《よしみつ》が、

「やっぱりこうなったか」

と、悩ましげに額へ手を当てていたが、この村上海賊の一族は、決着はすでに付いたと言わんばかりに促した。

「宗勝殿、就英殿、船を出しましょうぞ」

「事が収まるまで、しばらく待つが良いのではないか」

訝《いぶか》しむ就英に、吉充はにやりと笑った。

「左様、景めにかかれば事が収まるまで、寸刻もあれば充分にござりまするゆえ」

景と留吉が埒《らち》もない口論をしている間に、頭領はたちまち武装を整えた。疑われぬよう持たせなかった刀を手下どもに取らせると、指図した。

「相手は女一人じゃ、人質にして高崎まで逃げるぞ」

頭領は、女海賊が兵たちを怒鳴り付ける姿を目の当《ま》たりにしている。形《なり》は妙だが、高貴な者に違いない。この女を虜《とりこ》にすれば、海賊たちも従うと見た。

「腕でも脚でも叩き斬って大人しゅうさせい」

手下どもにも否やはない。頭領の下知を聞くや全員が抜き連れ、そのうち二人が背中を向けた景に襲い掛かった。

「待ってました」

残忍に笑ったのは景である。

「小僧、オレから離れるな」

振り返りざま、迫り来る手下二人に猛烈な勢いで突進した。

「阿呆《あほう》めが、姉者相手に」

関船の上の景親は顔を顰《しか》めた。景の武勇は、この姉から散々いびられ続けた弟だから熟知している。眼下の廻船で姉へ突撃する哀れな二人は、かつての、そして現在の自分のようである。

景は突進しつつも抜刀しない。前後一列になって迫る手下二人が、一間（約1・8メートル）の間合いに迫ったとき、

「喰らえ」

両の腕を胸の前で交差させ、鋭く床に振り下ろした。腕を振るなり手甲に仕込んだ小柄《こづか》が走り出た。

「がっ」

前列の手下が呻《うめ》いた。両足の甲を小柄が貫いている。船板まで達しているのか、あがいても足を動かせない。

「馬鹿めが」

景の彫りの深い顔が嗤《わら》うのを見た時が手下の最期《さいご》となった。景は手下とすれ違いざま、抜き打ちにその首を斬り飛ばした。

「次じゃ」

景の疾走は止まない。太刀を抜き放ったまま船板を蹴《け》り、続く手下に巨眼を向けた。敵は大胆にも腹が接するほどに肉薄しようとしている。間合いに入るや、上段から刀を振り下ろしてきた。

「いい度胸じゃ」

景は不敵に笑った。太刀を頭上に差し上げ、目前に迫る手下の刀を受けた。と見せるや、瞬時に腕の力を抜き、同時に左足を右後方に引くと敵の横に廻り込んだ。

景の太刀を叩き折らんばかりの勢いで打ち込まれた敵の刀は、軽くその太刀を撥《は》ね退《の》けてしまい、たちまち受け手を失っている。自然、手下の刀は前方へと流れ、身体《からだ》も前のめりになって泳いだ。

「ひっ」

手下は小さく叫んだ。たたらを踏んで、景に側面を見せてしまっている。格闘において最も忌《い》むべき位置関係がこれであった。とっさに首を横に向けると、すでに女海賊は太刀を上段に振り被《かぶ》っている。

「これまでじゃ」

景は、前方に突き出された腕ごと手下の首を断ち切った。

「痛《い》ったあ」

と、思わず頸《くび》に手をやったのは景親だ。周囲の兵どもが再び喝采を上げる中、顔を顰めつつ頸をさすった。

たったいま、景が見せた技は、姉が自ら編み出し、幼いころから鍛錬を重ねて磨き上げたものだ。相手にわざと太刀を打たせ、下方へと跳ね返されるその勢いを利用し、身体の横で刀を旋回させて頭上へと剣先を持ってくる。相手が強く打ち込めば打ち込むほど、景の太刀はさらなる迅速さをもって襲い掛かる。

「よせばいいのに」

景親は斬られた手下に同情を禁じ得ない。

この技を磨くべく、稽古台《けいこだい》にされたのが景親であった。少年の景親は打ち込んでは頸を打たれ、青年になっても打ち込んでは打たれ続け、その結果、困ったような顔に似合わずその頸は異様に太く、肩も分厚い。すばしこい姉から遁《のが》れるために、長身のわりに逃げ足も随分速くなった。

「これで、あいつらも分かっただろ」

と、景親がつぶやいて廻船を見下ろすと、頭領に率いられた手下四人はもう竦《すく》み上がっていた。

「なんだよ、もう終《しま》いか」

景は刀をだらりと下ろして訊いた。分厚い唇を歪《ゆが》ませ、遊び相手をなくしたかのような顔でいる。

手下たちは互いに顔を見合わせた。しかし思案顔を交わしたところで、この女海賊を虜にしない限り、生きて帰れぬことは分かっている。

「殺《や》れ！」

もはや虜にするのも忘れて命ずる頭領の声に、手下の一人が悲鳴を上げて打ちかかった。

「そう来なきゃな」

景は笑みを浮かべ、弟相手に練磨した技でこれに応じた。瞬く間に首にして、と吠えたが、手下の戦意は完全に消し飛んでいた。打ち込むことは即座に死を意味する。次々に刀を放り投げ、平伏《へいふく》した。

「ほい次っ」

「ちぇ」

景は不機嫌な顔でその様子を見やると、頭領に太刀の切っ先を向けた。

「おい、お前は」

そこは手下を束ねる男であった。刀を構えたまま景を凝視している。が、刀を捨て、急いで平伏した。

「めっそうもございませぬ」

「なんだよ」

景は、肩を落として太刀を鞘《さや》へと収めた。

だが、留吉は怒りが収まらない。景の背から顔を出して、けしかけた。

「こいつら、わしらの仲間を絞め殺して荷を奪おうとしたんじゃ。全員打ち殺せ」

景は嫌な顔をして言う。

「お前も餓鬼のくせに酷《こく》なこと言うねえ。その形《なり》じゃ育ちが悪いんだな、育ちが」

（お前が言うな）

留吉は心中で反論した。

最も酷なことをしたのは、この女海賊ではないか。しかし恐るべき刀術を見せつけられた直後である。不承不承《ふしょうぶしょう》口をつぐんだ。

「餓鬼は黙ってろ、餓鬼は」

景は留吉を叱り付け、頭領と手下に向き直った。とはいえ、このまま悪党どもを解き放つつもりはない。厳しく言い渡した。

「おい、おのれら。小僧はこう言うが、我が領分にて狼藉《ろうぜき》したからには、能島《のしま》村上には定法《じょうほう》がある。歯向かわぬのなら定めに従い、応分の報いを受けよ」

能島村上の海の関は勝手に設けたものである。この意味では、頭領の一味も海賊も似たようなものだが、能島の海の関は一定の秩序を生んでいた。帆別銭《ほべちせん》さえ素直に払えば、通行を許して警固まで行うときもあったし、領分内での犯罪行為は厳しく取り締まった。警察力の乏しい乱世では、これはむしろ治安維持であり、ささやかな道義的行為だとさえ言えた。

景の言葉に頭領と手下たちは安堵《あんど》した。噂と違い、村上海賊はいたずらに命を奪わぬものらしい。定法の中身も聞かされぬうちから、早計にも心中で胸を撫《な》で下ろした。いずれも顔を上げて、景を拝み倒さんばかりの様子でいる。

「へっ」

景は悪党どもに一瞥《いちべつ》をくれると、周囲を見渡し下知を放った。

「者ども、乗っ取れ！」

途端、景親の乗った関船《せきぶね》から、兵たちが一斉に廻船へと飛び降りた。堰《せき》を切ったように四方から迫る小早《こばや》からは、「投げ橋」と呼ばれる鉤付《かぎつ》きの縄梯子《なわばしご》が殺到する。関船と小早の兵たちは、よほど景の仕置《しお》きが恐ろしかったのか、このときが来るのをじっと待ち続けていた。

「やれやれ」

こうなると、景親も兵に続かざるを得ない。楯板を乗り越え、船外に跳んだ。

「うわっ」

と、留吉は思わず景の背に身を隠した。

続々と関船から舞い降り、あるいは船端《ふなばた》という船端から縄梯子をつたって群がり登ってくる海賊たちは、いずれもが目の血走った凶悪な面付《つらつ》きである。甲板にひしめき合って頭領と手下たちを睨み廻す様は、血に飢えた獣の群れそのものであった。死ぬのは平気だなどと留吉は言ったが、とても正視できるものではない。見上げると、女海賊はその群れの中で腕を組み、悠然と佇《たたず》んでいた。

その女のもとに海賊の兵が駆けて来て、

「姫様!」

と神妙な顔で呼ぶ。

(姫様!?)

留吉は女海賊の顔を見詰め直した。姫様といえば、この世の者とは思えぬ淑《しと》やかさだと聞くが、目の前の女はこの世の者とは思えぬ荒々しさである。こんな女が姫であっていいものか。驚いていると、女は兵に命じた。

「船倉にも人数がおる。手下は捕らえ、百姓どもは解き放て」

その下知で、留吉はようやく祖父のことを思い出し、身震いした。甲板上での騒ぎに気付いた手下たちが、源爺《げんじい》を始め仲間の百姓たちを皆殺しにしているかも知れない。

幸い、源爺は無事だった。

手下たちは、景が格闘する物音に気付いていたが、百姓たちを手に掛けようとはしなかった。すでに海賊の船が寄せてくるのを見ている。下手に手を出せば、罰せられるのは手下たちのはずだ。

いまや手下たちはもとより、源爺ら百姓たちも、頭上から鳴り響く無数の足音に震え上がっていた。やがて幾つかの足音が近付いてきたかと思うと、出入口の船板が開き、手下の数倍凶暴な面《つら》が覗《のぞ》き込んできた。顔は出入口を模《かたど》る四辺すべてに並んでいる。そのうちの一つが、残忍な笑みを浮かべて喚《わめ》いた。

「能島村上じゃ、観念せえ！」

源爺が甲板へ上がると、船上は胴丸《どうまる》に褌《ふんどし》の海賊たちで一杯である。その間を縫って、留吉が「源爺！」と駆け寄ってきた。

「留吉、無事じゃったか」

「極楽へは行けなんだわ」

気丈に答える留吉の頭を撫《な》で、源爺は甲板を見渡した。

船倉から引きずり出された十人ほどの手下たちは、先に船端へ引き据えられた頭領と手下三人の横に叩《たた》き付けられるようにして座らされていた。その眼の前では、海賊たちがひしめき合っている。どこか祭りの前のような興奮があった。

「これはもしや」

源爺はつぶやいた。

「どうしたんじゃ、源爺」

「見ん方がええ」

源爺には、これから何が起こるか察しがついた。留吉に首を振って見せたが、その拍子に海賊たちの後ろで反《そ》っくり返っている長身の女に目を奪われた。

「あの女子《おなご》は」

「能島村上の姫様じゃ。あの姉ちゃんが、助けてくれたんじゃ」

「あれが能島村上の――」

源爺はしばらくの間、景を見詰めていた。女の正面に、哀願するかのような体《てい》の男がいても目もくれず、景に目を瞠《みは》り続けた。

哀願しているのは弟の景親だ。姉を下から覗き上げるようにして訴えていた。

「姉者、定法だからって止《や》めにせんか。わし、これ苦手なんだよなあ」

「気の小さい奴《やつ》だね、お前も」

景は嘆息すると、巨眼をぎらつかせ、無気味な笑みを浮かべて言い放った。

「景親、悪人どもを懲《こ》らしめるに何をためらう」

景親はぞっとした。姉はいつものようにこれから行う仕置きに心を躍らせている。もともと弟の願いなど聞く姉ではないが、これでは一層耳に入らない。

(無理だわ、こりゃ)

と、あっさり説得を断念したとき、

「やっとるなあ、景」

と無闇《むやみ》に明るい調子で呼び掛ける声がした。

13

景と景親《きょうかげちか》が声の方を向くと、後方から来た因島《いんのしま》村上の関船《せきぶね》が、数間《けん》をおいて廻船に船首を並べるところであった。船首にいるのは、村上吉充《よしみつ》である。

「あの野郎」

景は怒気を発した。この村上武吉《たけよし》の娘は執念深い。五年ぶりに会った吉充が、毛利に加勢したことを根に持っている。

「吉充叔父か！　何用で罷《まか》り越した。オレらに用なんぞないぞ」

吉充は罵声《ばせい》を意に介さず、

「ちと武吉に頼みがあってな」

と優男《やさおとこ》の顔をおどけさせた。

「おのれ五年前に能島《のしま》を攻めて、どの面下《つら》げて頼みごとじゃ」

景は激昂《げっこう》したが、吉充はまったく応《こた》える様子もない。

「まあ、そう言うな。侍奉公《さむらいぼうこう》の事情ってもんさ」

「おのれ」

景が歯噛《はが》みして睨《にら》んでいると、続いて二艘《そう》の関船と数艘の小早《こばや》が、吉充の乗った関船の向こう側に現れた。眺めるうち、関船のうちの一艘から禿《は》げ頭の小男が顔を出し、

「これはこれは、能島の姫様、お久しゅうござる」と馴《な》れ馴《な》れしく声を掛けてくる。

景にその禿げ頭の記憶はない。眉を寄せ、顎《あご》を突き出しながら、

「お前、誰」

「憶《おぼ》えてはござらぬかな。小早川《こばやかわ》家中の乃美宗勝《のみむねかつ》にござるよ」

「宗勝だと！」

乃美宗勝と言えば、能島攻めの毛利方総大将ではないか。

「お前も攻めてきやがっただろう、この野郎」

「まあ、そう怒りなさんな」

宗勝にとっても、景など吠《ほ》え声のうるさい子犬程度の相手でしかない。からかうような調子で軽くいなした。

景は、歯を剝《む》いて怒り狂った。

「この禿《はげ》っ」

と罵ったが、その傍《かたわ》らに佇む男に目を留めると急に歯を収めて真顔になった。

宗勝の隣にいるのは涼やかな切れ長の目の、凛《りん》とした若武者である。

景はまじまじとその姿を見詰めた。

(嫌だなあ、この目つき)

横にいる景親は眉を顰《ひそ》めた。

姉は、良き武者振りの男を前にすると決まってこの面になる。眼を細め、品定めするかのようにその顔から姿までを眺め尽くす。

(やめりゃいいのに、その顔)

醜女《しこめ》の姉が浮かべるその表情の浅ましさたるや、目を覆《おお》いたくなるほどである。しかも今度は滅多《めった》に見られぬ見事な若武者だ。景親は深い溜息《ためいき》をついた。

(いくら何でもありゃ無理だって)

だが、姉は若武者をまずは気に入ったようだ。こういう場合、何の駆け引きか不明だが、姉は相手に対して変に強く出る。案の定、このときも、

「何者じゃ、お前は」

眼を嚇《か》っと見開き、若武者に突っかかった。

若武者は不機嫌な様子を隠そうともせずに名乗った。

「児玉就英《こだまなりひで》」

景の眸《ひとみ》に欲深げな色が宿った。その名ならば知っている。毛利家の直臣《じきしん》で、本家に直属する海賊衆の長《ちょう》だ。三十代でありながら、いまだ独り者でいるらしい。

景親も就英の噂は聞いたことがあった。そしてこの瞬間、姉が到底叶《かな》わぬ想いを抱いたことを悟った。姉は「海賊にしか輿入《こしい》れしないからな」と常々触れ廻っている。良き武者振りで、しかも海賊家の当主となれば、最上の獲物《えもの》のはずである。

哀れを誘うのは、こんなとき、姉が平静を装《よそお》うことだ。景は、あからさまに目を輝かせながらも、

「あ、そう」

と、ことさらに関心なさげな様子を作り、就英に向かってさらなる高みから物を言った。

「児玉海賊の長とはおのれじゃな」

「いかにも。もっとも海賊などとは申さず、毛利家では優美に警固衆《けごしゅう》と呼んでおるがな」

景もここで下手《したて》に出る女ではない。

「警固衆ね」

鼻を鳴らし、「気取ってらあ」と自らの兵どもを顧みながら大声で嗤《わら》った。兵たちもまた、景に倣《なら》ってどっと哄笑《こうしょう》した。

「申したな」

就英は怒気を露《あら》わにしたが、景は構わず、

「ならば、その優美な警固衆とやらは、斯様《かよう》な真似はせぬのだろうな。村上海賊の定《じょう》法《ほう》を目の当《ま》たりにして、泣き出すんじゃないぞ」

にやりと笑うと、

「者ども、用意せえ」

大音声《だいおんじょう》で兵たちに命じた。

下知《げじ》が飛ぶなり、船端《ふなばた》で縮こまっていた頭領《かしら》と手下たちの前に荒々しく置かれたのは、赤々と燃える数個の火桶《ひおけ》である。火桶からは鉄の棒らしきものが突き出ていた。

火桶を目にするや、頭領と手下たちは一斉に悲鳴を上げた。村上海賊の定法の意味がようやく分かったのだ。頭領は甲板を這《は》って逃げようとしたが、逃げる先に待ち構えているのは屈強な海賊たちだ。すぐさま背中を踏まれて押し潰《つぶ》され、両脇《わき》を抱えられて元の位置へと引き戻された。

「お助けくだされ、もう斯様な悪さはいたしませぬ」

頭領は引《ひ》き摺《ず》られながら、景に訴えた。頭領が引き戻された横では、すでに手下たちが左右から両腕を捻《ひね》り上げられ、座したまま頭を垂れて泣き叫んでいる。景は頭領を見下ろすと、残忍な笑みで応じた。

「もはや遅い」

廻船の騒ぎは、就英にもはっきりと見える。

「何が始まるのじゃ」

と宗勝に問うた。

「いまでは能島村上しか行わぬ古き定法にござる。能島の領分にて狼藉《ろうぜき》した者への仕置きはただ一つにござってな」

「何じゃ、それは」

焦《じ》れる就英に、宗勝は答えた。

「額に印を焼き付けるのじゃわ」

——罪船之儀《ざいせんのぎ》、船頭 幷《ならびに》 加子（水夫）額ニ焼印申付候事《やきいんもうしつけそうろうこと》。

『武家万代記』に収録された「海賊連判状」なる掟書《おきてがき》には、こう記されている。罪を犯した船頭と配下の水夫《かこ》たちは、その額に焼印が付けられるのだ。

連判状には、能島村上の村上武吉、因島村上の村上吉充のほか、来島《くるしま》村上の村上吉《よし》継《つ》ぐなど、三島《さんとう》村上の当主あるいは当主に準ずる者たちが署名しているが、いまだにこの古法を守っているのは、能島村上ぐらいのものであった。その仕置きが余りに野蛮だったからだ。

「やれ！」

景が大喝するや、兵どもは数個の火桶から、真っ赤に焼けた鉄の棒を一斉に引き抜いた。

海賊たちにためらいはない。うつむく頭領と手下たちの髷《まげ》を、別の兵がむずと摑《つか》んで顔を上げさせるなり、その額に焼印を押し付けた。

肉が焼ける凄惨《せいさん》な音とともに、頭領と手下どもは悲鳴を上げた。やがて煙が収まり焼印が外されたとき、その額に黒々と焼き付いたのは、丸でくくった「上」の字の印であった。村上海賊の定紋《じょうもん》である。

「思い知ったか」

取り囲む兵が雄叫《おたけ》びを上げる中、景はそう言って高々と笑った。

「やはり、あの焼印じゃったか」

絶句する百姓たちに混じり、声を震わせたのは源爺《げんじい》である。

源爺の住む安芸高崎の村にも、この印を押された屍骸《しがい》が近くの湊《みなと》に上がるとの噂が聞こえていた。たまに生きて泳ぎ着いた者がいても呆《ほう》けたようになっているという。その屍骸と半死人を見た者たちは、戦慄《せんりつ》をもって村上海賊の威を知り、間違っても芸予海域で悪事は為《な》すまいと肝に銘じたに違いない。

「ざまぁ見やがれ」

源爺の横では、留吉《とめきち》が悪人どもを罵っている。

景は留吉に首をねじ向けると、

「小僧、まだまだこれからぞ。こ奴らの末路《まつろ》をよう見ておけ」

言い捨てざま、「次じゃ！」と命じた。すかさず兵どもは、次なる手下たちに迫って無理やり面を上げさせ、頭蓋《ずがい》を突き抜けんばかりの勢いで焼印を喰らわせる。再び廻船に、罪人たちの上げる苦悶《くもん》の絶叫が響き渡った。

「さすがは能島村上。やることに手緩《てぬる》さがないわ」

廻船上での阿鼻叫喚《あびきょうかん》に、数間先の関船にいる宗勝は賞賛の声を放った。

その傍らで就英は、秀麗な顔を歪めている。見れば景姫は、泣き叫ぶ罪人どもを前に天を仰いで哄笑していた。

「不快じゃ」

就英は吐き捨て、無残な光景に背を向けると、「船を出せ」と兵に命じた。

廻船の上のすべての罪人に焼印が付けられたのは、就英らの関船が動き出した頃だ。

景親は薄目になってその惨状を見渡した。

呻《うめ》き声を上げている者もいたが、多くが呆然と自失していた。なかには激痛の余り絶命した者もいる。その者たちを、姉は無慈悲にも笑い飛ばしていた。

（これじゃあ、男が寄り付くわけないよ）

景親は呆《あき》れ果てつつ、

「姉者」

と、景の視線を促した。

「うん？」

景が大口を閉じて関船のいた方を見ると、関船が三艘とも小早を従え、そそくさと能島の方角へと去りつつある。

関船の船尾に男がいて、こちらを見詰めている。姿形からして児玉就英であろう。

「意気地《いくじ》なしめ」

景はどんどん小さくなっていく就英の姿につぶやいた。嫁入りを望む男に発する言葉ではないが、傍らの景親だけは、姉が依然この就英への輿入れを狙《ねら》っているのを知っていた。

一方の就英は、正反対の想いで景の姿を凝視している。

（何という醜女、何という悍婦《かんぷ》か）

離れゆく景の姿を望みつつ、不快感を募らせていた。

14

景《きょう》は少しの間、児玉就英《こだまなりひで》を見送っていたが、焼印を施した罪人どもにおもむろに目を向けた。

「この者どもを海へと放り出せ」

「御意《ぎょい》」

兵は叫び、罪人の腕と脚を二人掛かりで摑むと、次々に船外へ投げ捨てた。

罪人どもが泳ぎ去り、あるいは沈んでいくのを見届けた景は、

「へっ」

と鼻を鳴らし、遊びは終わったとばかりに海に背を向けた。関船《せきぶね》から降ろされた縄《なわ》梯子《ばしご》に足を掛け、

「じゃあな、小僧」

と留吉《とめきち》に言い捨てると、さっさと梯子を上りにかかった。

すると留吉が「海賊の姉ちゃん」と声を上げて、足元に駆け寄ってくる。感謝の言葉でも伝えたいものらしい。

「礼などいらぬ」

景は留吉を見下ろし、片方の頰を上げてみせた。

「違うわい」

留吉は憮然《ぶぜん》とする。

「姉ちゃんが悪党どもを海に捨ててしもうたから船を動かす者がおらんわ。どうにかしてくれ」

「なんだよ、それ」

悪党どもを叩き斬《き》れと言ったのは小僧ではないか。それを始末してやったのに、次は櫓《ろ》を漕ぐ水夫《かこ》まで用意しろというのか。すっかり鼻白《はなじろ》んでいると、

「止《よ》さんか、留吉」

源爺《げんじい》が慌《あわ》てて小僧の縄帯を引っ張った。だが留吉は「離せよ、源爺」と暴れて、縄梯子の下から離れようとしない。他の百姓たちは、留吉の言い分が通ればいいと思い、一方では海賊が恐《こわ》いのか、二人を遠巻きにしていた。

「わかった、わかった」

景は、面倒臭そうに言った。

「留吉、その爺《じじい》は源爺ってのか。オレの兵に命じて高崎まで送り届けてやる。それでいいだろ」

決め付けると、兵に指図して自らは縄梯子を再び上りはじめた。兵たちも次々に縄梯子へ取り付き、元いた関船と小早に納まっていく。瞬《また》く間に廻船は、留吉と源爺ら百姓と、景の下知《げじ》で残された水夫役の兵だけとなった。兵は、早くも船端の櫓を漕ぎ始めている。

「姉ちゃん」

留吉は続きがあるんだと言わんばかりに叫ぶが、廻船は旋回を始めていた。頭上の景の姿もまた、楯板《たていた》の向こうへと消えてしまった。

「もうええ、海賊衆に出会うて命があっただけでもありがたいと思え」

源爺が留吉の肩を押さえた。

「じゃけど」

留吉は不満げな顔をしたものの、もう口をつぐむしかない。

景の乗った関船も旋回を開始していた。廻船とは南北正反対に船首を向けつつある。

能島《のしま》へ戻るのだろう。旋回を終えると、無数の小早を従え去っていった。

景は関船の船首にいる。行く手を望めば、就英、乃美宗勝《のみむねかつ》と、因島《いんのしま》村上の吉充《よしみつ》の船団が伯方《はかた》島の島陰へと姿を消そうとしていた。

「能島村上の技量を示せ。毛利の者どもより先に能島へ返すのじゃ。急げや者ども」

景は吠えるように下知を発した。


能島村上の船団が、伯方島の向こうに姿を消した頃、就英は宗勝に声を掛けられた。

「就英殿、能島は初めてでござったな」

「何度言わせる」

就英は仏頂面《ぶっちょうづら》で応じた。横に並んだ宗勝は、

「ならば児玉家の関船に気を緩《ゆる》めるなとお命じなされ」

と、傍らを行く就英所有の関船を指して助言した。

就英は能島への海路を教わるため、宗勝の関船に同乗している。自身の関船も引き連れていたが、それに注意を促せと宗勝は言うのだ。

「なぜじゃ」

と問うと、宗勝は、短い腕を伸ばして船首の方を指差した。

振り返った就英は、その光景に目を見張らざるを得ない。

「あれは――」

と息を呑《の》んだ。

水路の両岸に切り立った崖《がけ》が迫っていた。その狭さは、この関船が通る隙間《すきま》があるのかと錯覚してしまうほどである。

「鼻栗《はなぐり》瀬戸にござるわ」

宗勝はこの海の難所の名を口にした。

東を伯方島、西を大三島《おおみしま》に挟まれた海域が鼻栗瀬戸である。最も狭いところでわずか300メートルというこの海域は、本州から南下して能島に向かう際の関門ともいうべき水路であった。

「いかん」

就英は舷側《げんそく》へ駆け寄り、併走する自家の関船に向かって大声を放った。

「瀬戸の真ん中を走れ！」

この時刻、潮の流れは進行方向と同じ、順潮であった。上手《うま》く潮に乗れば労せずして能島に着けるだろうが、海にあるまじき海峡の狭さである。潮流の速さは尋常一様《じんじょういちよう》ではあるまい。改めて行く手を見れば、二つの島に縁取《ふちど》られた水路は、左右に蛇行さえしていた。

「舵《かじ》を取られるな」

就英が再び叫んだとき、潮の流れが一気に速さを増した。

「うおっ」

とっさに楯板にしがみ付いた。この潮の速さと波のぶつかる轟音《ごうおん》は、真っ逆さまに滝を落下しているかのようだ。夢中で楯板にしがみ付くうち、就英は船が旋回し始めていることに気付いた。

「何事じゃ」

眼下の海を覗き込むと、随所に渦《うず》が逆巻いている。自家の関船と小早を見れば、渦に翻弄《ほんろう》され、船首を引き回されていた。

「これで五年前も苦労させられ申したわ」

と、宗勝が大頭を揺らせて叫ぶ。何か愉快げな調子である。

「ちっ」

舌打ちした就英が、宗勝から再び海に目を移すと、後方を走っていたはずの因島村上の関船が追い越していく。渦の起きる場所を熟知しているのか、船首も乱さず、真っすぐに針路を取って南下していた。

その関船の舷側から吉充が、

「就英殿、ご無事にござりまするか」

と大声で言ってくる。ことさらに慇懃《いんぎん》な調子が就英の気分を逆撫《さかな》でした。

「おのれは先に能島へと参り、我らが着到《ちゃくとう》を知らせよ」

怒気を含んで命じる就英に、吉充は「御意《ぎょい》」と、またも無用な慇懃さで答えた。

「あいつ、弄《なぶ》るか」

就英は、追い越してはみるみる小さくなっていく吉充の関船につぶやいたが、怒りの本番はこれからであった。因島村上の関船に続いて、能島村上の関船と無数の小早が大挙して追い越しに掛かったのだ。

「あいつら」

就英は、楯板をくだかんばかりの勢いで握り締めた。

翻弄される毛利家の小早を縫うように、能島の小早が舳先《へさき》を揃《そろ》えて次々に追い越していく。小早に続いて現れたのは関船だ。その舷側の楯板に、景が悠々と腰掛けていた。

「警固衆とやらも、大したことないな」

村上武吉《たけよし》の娘は、露わになった両の太腿《ふともも》をぶらつかせながら、大声で揶揄《やゆ》してきた。

「あの醜女《しこめ》が」

就英が悔やむ横で「やあ姫、またお会いしましたな」と宗勝が暢気《のんき》にあいさつするのが一層腹立たしい。

「宗勝っ！」

怒鳴りつける間に、能島村上の船団は過ぎ去っていた。遠ざかる関船からは、女の高笑いが聞こえてきた。

就英と宗勝率いる毛利家の船団は、鼻栗瀬戸から吐き出されるようにして遁《のが》れ、比較的広い海域で、潮の流れも緩やかな宮窪《みやくぼ》瀬戸に入った。南方を伊予《いよ》大島、北方を伯方島と大三島で限られた東西に長い海域だ。そこに入ったときには、毛利の船団は算を乱し、難破船さながらの有り様であった。

就英は揺れの収まった船上で息を入れ、四方を見渡したが、村上海賊の船団はすでにどこかに停泊したのか、海上から姿を消していた。

「辰巳《たつみ》（南東）に針路を取れ」

横にいた宗勝が兵に命じた。関船の舳先が南東に向かうにつれ、就英が行く手を見据えると、伯方島と伊予大島の巨大な二つの島影に挟まれた小さな島がある。幾艘《いくそう》かの船が停泊しているのも確認できた。

「あれが能島か」

「いや、あれは見近《みちか》島にござる」

と宗勝は首を振る。現在は芸予諸島を結ぶ自動車道、しまなみ海道の橋脚の土台と化している小島だが、これも能島村上の領有する島であった。

「見近島の右手奥に見える島、あれが能島にござる」

「あの小島がか」

就英は啞然《あぜん》とした。

見近島よりさらに小さな島である。能島もまた小山を成しており、幾段かの削平地《さくへい》を設けて曲輪《くるわ》とし、要塞化《ようさいか》しているかに見えるが、果たして天下に鳴った海賊王の本拠が、この程度の小城で良いものか。

宗勝はうなずくと、

「いかにも。武吉めは伊予大島を始め、その他の島々にも城を持っておりまするが、好んで能島におるとの話ですわ」

「何ゆえじゃ」

就英は怪訝《けげん》な顔をした。しかし、関船が能島に近付き、その全容が明らかになるに従い、村上武吉が能島に本拠を置く理由をいやでも思い知ることになった。

宮窪瀬戸を南東に向かえば、伯方島と伊予大島がさらに接近し、海域は押しつぶされるようにして急に狭くなる。その狭まった海峡を堰《せ》き止めるように鵜島《うしま》という、能島より遥《はる》かに大きな島が横たわっている。能島は、この鵜島と伊予大島の間の極端に細い水道に腰を据えていた。とりわけ鵜島と能島は100メートルと離れておらず、その水路は荒神《こうじん》瀬戸と呼ばれる難所中の難所であった。戦時となれば、またとない天然の水堀となることだろう。

「あの瀬戸、どれほどの潮の速さなのだ」

先ほど鼻栗瀬戸で散々な目にあった就英である。思わず身震いした。

「まったく厄介な所に城を築きおって。攻めにくいわ、船は掛けにくいわでしょうがありませぬわ」

宗勝が苦笑交じりに言うと、潮の速さが再び増した。翻弄される関船の上で、禿《は》げ頭はまたも愉快げな声を上げ、

「あの男の利《き》かん気が知れるというものにござるよ」

「くっ」

就英もまた楯板へとしがみ付いた。従う児玉家の関船と小早に目を向けると、案の

定、船団の隊伍《たいご》は乱れに乱れている。

「能島村上に笑われたいか、しゃんとせえ」

就英は声を荒らげるものの、楯板にしがみ付いたままでは威厳もなにもあったものではなかった。

15

そんな毛利家の船団を、能島《のしま》城の本丸の庭先から四十過ぎの男が見下ろしている。小兵《こひょう》であった。全身の調和を取るように頭が小さく、贅肉《ぜいにく》のつきにくい体質なのか、小袖《こそで》から覗く手首は男にしては細く、筋張っていた。

赤銅色《しゃくどういろ》に焼けた面《おもて》を最も特徴付けるのは、その前額部である。大きく隆起し、その下には景《きょう》と同じ巨眼が光っていた。引き締まった体軀《たいく》と相まって、見る者に渾身《こんしん》知恵のごとき印象を与えるこの男が、『能島家根本覚書』で「無類の侍」と評された能島村上家の当主、村上武吉《たけよし》であった。

同書によれば、帆別銭《ほべちせん》徴収の仕組みを構築したのがこの男だという。これまで海の狼藉者《ろうぜきもの》に過ぎなかった海賊たちに、安定した生計《たつき》をもたらし、秩序立った組織に変革したのだ。『能島来島因島由来記《くるしまいんのしま》』によると、能島城のほか務司城《むし》、中途城《なかと》など八カ所の城を所持していたという。

武吉は、口元に微笑を浮かべ、海賊王にふさわしい威を湛《たた》えつつ、海風に吹かれて毛利家の船団を見守っていた。

本丸から見える毛利家の船団は、こちらへと近付くというより、流されてくるといった方が正確である。

「毛利家の警固衆《けごしゅう》は相も変わらず、船の扱いが下手ですな」

武吉の隣にいた、中背で色白の青年が冷笑まじりに告げた。

武吉と同じ隆起した額を持っていたが、その下に覗く目は細く、鋭すぎるほどである。武吉の嫡男《ちゃくなん》、元吉《もとよし》であった。

武吉は、息子の嘲《あざけ》りに微笑を浮かべたままでいたが、ふいに左手に目をやった。本丸を取り巻く帯曲輪《おびぐるわ》ごしに広がった崖下の砂浜を見ると、小さく笑い出した。

（なんだ）

元吉はわずかに首を傾《かし》げ、父の視線を追った。

能島は上から見れば、大ざっぱに言って三角形をなしている。８００メートルというその周囲のほとんどを、船着場を兼ねた武者走《むしゃばし》りが囲んでおり、船は三角形の三辺のいずれにも停泊することができた。

島の中心に位置する山頂部の削平地が、武吉と元吉がいる本丸だ。その周囲を一段低い削平地がぐるりと囲んでいる。これを「帯曲輪」といい、三角形の頂点部分にもそれぞれ曲輪が築かれており、能島は計五つの曲輪を有していた。

三角形の島のうちの一辺、西側には浜が開けている。ここが能島城の主要な船着場であり、小型船の小早は浜に直接乗り上げ、関船は付近の武者走りに横付けするのが慣行であった。ちなみに能島の南側には鯛崎《たいざき》島という、さらに小さな島が隣接しており、曲輪も設けられ、吊《つ》り橋で連結されていた。

いま、元吉が視線を落とした西側の浜では、幾艘もの商船が出入して活況《かっきょう》を呈《てい》する中、仕事を終えた数十艘もの小早が次々に着岸し、兵たちが続々と浜へ降り立っていた。数艘の関船も武者走りに停泊しており、そのうちの一艘は因島村上家の関船であった。甲板から梯子《はしご》を降りてくるのは、当主の吉充《よしみつ》であろう。

元吉は、能島村上の関船にふと目を移した。その途端、

(あいつ)

と眉間《みけん》に皺《しわ》を寄せた。

関船の陰から、妹の景がひょいと顔を出し、辺りをうかがっていた。本丸に背を向

けると、そろりそろりと足を運んで逆方向の鯛崎島へと逃げていく。途中、崖の窪みを発見したのか、その陰に身を隠し、本丸からの死角に入った。

「景じゃ。またあそこに隠れたわ」

武吉が白い歯を見せた。小犬の妙な動きを愛《め》でるかのような調子であった。

元吉の発する声音はそれとは違う。

「景の奴、また海賊働きをしてきたようですな」

怒りを細い目に宿していた。

すると武吉は、

「ちょうど良い」

と、笑みの納まらぬ顔を元吉に向けた。

「いま戻ったばかりなら、児玉就英《こだまなりひで》にも会《お》うておるだろう。景の意を質《ただ》して参れ」

何を質すのかは、元吉もあらかじめ聞かされている。だが元吉は、そんな用事よりも不満の方が先に立った。

(まったく父上は)

景がいかなる行いに及ぼうとも、この父親は一度たりとも叱《しか》ったことがない。まったくの野放しであった。この妹を真人間にするべく、いつの頃からか父の代わりに景を叱るのが、兄である元吉の役目となっていた。

「景めの意向など訊《き》かずともよいでしょう。甘いのでござる、父上は」

不平をもらしたが、武吉は応えず、からかうように返した。

「俺は男親ぞ。娘を甘やかす以外何ができる」

元吉は不機嫌な顔を見せ付け、その場を立ち去ったが、武吉の声が追い掛けてくる。

「説教は短くな」

「いらぬお世話です」

元吉は振り向きもせず、声を大にして言った。

(見付かったか)

崖の陰でぎょっとなったのは、景である。

片目だけを陰から出して本丸の方を見上げると、兄の元吉がこちらに向かって城道を降りて来る。毛利家の迎えに出た風ではない。となると、

(まずい。むちゃくちゃ怒られる)

二十歳といういい歳《とし》をして、兄に叱られるのに戦々恐々となった。

景とて怒鳴り付けられるとか、いっそのこと、張り倒されでもするのであれば、こ

れほど恐れはしない。元吉の説教は、そのどちらでもなかった。長い。それもほとんど繰り言《ごと》で、しくしくと長い。景はいつ終わるとも知れぬ聞き慣れた文句を、聞き流さなくてはならないのである。

（どうしよう）

もたもたしている場合ではない。踵《きびす》を返すと鯛崎島の方に駆け出した。

武者走りを走り抜け、能島の南端に架かった吊り橋に差し掛かった。渡れば鯛崎島である。景は轟々と音を立てる潮の流れを足元に見つつ、吊り橋を駆け渡った。

途中、能島村上の家臣たちとすれ違う。

家臣は主君の姫君に対し、平伏の一つもするものである。だが、荒くれ者の集団にそんな様子は一切なかった。野放しの姫に敬意を払うのは無用のことだとでも思っているのか、

「やあ、姫様」

気やすく声を掛けて過ぎ去っていく。

一方の景も、敬意を示す気など消し飛ばしてしまうような女だ。

「おいお前ら、あれだ、あれ。頼《せ》むぞ」

すれ違いざまに顔だけ向け、急き込んで言うと、さっさと駆け去ってしまう。

「あれ」と言われて、皆すぐに合点がいった。景が取り乱して逃げるとすれば、兄の説教しかない。どうせ海賊働きがばれたのだろう。「頼む」というのも兄に黙っていてくれとの謂《い》いに決まっている。

「ああ、またあれじゃな。分かった分かった」

家臣がそう笑ったときには、景は吊り橋を渡り切り、鯛崎島の番屋《ばんや》の向こうに姿を消していた。

景は番屋の壁に背をへばり付け、いま来た吊り橋を窺《うかが》い見た。元吉の姿はない。

(危なかった)

胸を撫《な》で下ろし、顔を正面に戻したところで、

「のわっ」

と声を上げた。

鯛崎島の南の端、番屋の庭に人がいた。小袖姿の女が眼下の海を眺めている。

景は肩で大きく息をついた。

「なんだよ、琴《こと》。来てたのか」

「うん。里に帰ってたものだから。御養父上《おちちうえ》にもご挨拶《あいさつ》してきたところ」

微笑《ほほえ》んだのは、村上武吉の養女で、輿入《こしい》れのため一昨年、能島を出て行った琴姫である。景と同い年の二十歳であった。

(相変わらず美人だなあ)

景は毎度のことながら素直に感心した。

顔はのっぺりとして、豊かな頬が女らしい曲線を描いている。眼は利剣《りけん》で切ったかのように細く、おちょぼ口で、肌は真っ白であった。声はか細く、控え目だが、ふくよかな身体《からだ》は、僅《わず》かな所作《しょさ》も嬌態《きょうたい》に思えるほどの艶《あで》やかさだった。

(これは男ならたまらんだろうな)

この当時、美人とされたのは、琴姫のように顔の彫りが浅く、太り気味の女である。詰まるところ、景とは正反対の女だ。

琴姫の美貌《びぼう》が取《と》り沙汰《ざた》されるようになったのは、武吉の養女に迎えられた頃からである。その噂《うわさ》は村上海賊と好《よしみ》を通ずる周辺諸国の家々を駆け巡り、縁組の話が景の前を素通りし、琴姫に殺到した。

ここで琴姫は意外なしたたかさと強情さを見せた。どの申し入れにも首を縦に振ろうとしなかったのだ。武吉もまた無理強いせず、数年が経《た》ち、ついに輿入《こしい》れを承諾した相手は戦国の梟雄《きょうゆう》、毛利元就の四男、元清《もときよ》であった。瀬戸内に生きる女として、これ以上の良縁はない。周囲の者はようやくこのとき、琴姫の狙いを知った。

そんな琴姫だが、景には、おっとりとして、つつましやかな女でしかない。

(これがあの通康《みちやす》の娘なんだからなあ)

景は、琴姫の剝《む》き玉子のような頰を眺めつつ思った。九年前に病死した琴姫の実の父は来島村上家の前の当主、来島通康といい、娘とは似ても似つかぬ剛勇の士であった。合戦での逸話も多く、村上武吉と並び称され、来島村上家は通康の時代が最盛期といってよかった。

(だけど、こんな大人しくしてちゃ、毎日つまんないだろうな)

その通康の娘に、景は小さく同情している。琴姫の美貌をうらやましいとは思うものの、成り代わりたいとまでは思わない。景には景の海賊働きという楽しみがあるのだから。

しかし、それは誤解であった。琴姫は自分に大いに満足していたし、ただ大人しいだけの女でもなかった。

意地が悪い。

「お召し物、涼しげね」

琴姫は、頭ひとつ分も丈《たけ》の高い景を見上げながら、可憐《かれん》な声で言った。小さく笑っている。声にはかすかにからかいと侮蔑《ぶべつ》が混じっていた。

だが、この村上武吉の実の娘には、微妙な揶揄《やゆ》や侮《あなど》りがまったく通じない。剝きだしの真っ黒な腕と太腿を威勢良く叩《たた》いた。

「袖《そで》とか裾《すそ》とか長くっちゃ、海に落ちたときに泳げんからな。これがいいのさ」

真っ白な歯を見せて笑い、

「琴、いい着物だな。さぞかし豪勢なんだろう、毛利家は」

と、欲深げに目を光らせた。

ここで調子に乗る琴姫ではない。

「ううん」

嫋《たお》やかに微笑みながらかぶりを振った。

「毛利家って言っても元就公の四男だから。養子に行って穂井田《ほいだ》家を継いでるし。だから私は穂井田家の奥」

琴姫の夫は毛利元就の四男でも、庶子《しょし》つまり側室の子であった。元就の正室を母とする故隆元《たかもと》、吉川元春《きっかわもとはる》、小早川隆景《こばやかわたかかげ》とは違う。穂井田家も、毛利家の純然たる家臣で、琴姫の美貌を以《もっ》てしても、これ以上は望めなかった。

琴姫は利口である。ここで事実を告げ、へりくだってみせれば、却《かえ》って我が威勢を知らしめることになると知っていた。

もっとも景は、

「あ、そうだっけ。穂井田。毛利じゃないんだ」

と無神経に答えるだけである。拍子抜けしたかのような調子でさえあった。

こういう察しの悪さを許す琴姫ではない。真っ黒な大女に、我が身の栄達を知らしめなければならない。

「でも、子は毛利になるかも。御当主の輝元《てるもと》様にお子がいないものだから。私たちに子ができれば、その子を養嗣子《ようしし》にする話もあるらしくって」

柔らかな口調で大いに誇張を交え、ほとんど夢に近いことを語った。

が、これは後年、叶《かな》えられた。このときから三年後の天正七年（一五七九年）に生まれる琴姫の子、秀元は毛利輝元の養嗣子となる。その後、輝元に男子ができたため、家督《かとく》を継ぐことはなかったが、毛利家では秀元の立場を重んじ、別家を立てた。秀元を藩祖とする長府藩がこれで、長州藩の支藩として明治維新まで続いた。

琴姫の話は続く。

「でもね、大大名の当主の御袋《おふくろ》様っていうのもちょっとね。窮屈そうで嫌だな。いまぐらいがちょうどいい」

「へえ、嫌なんだ」

景はすっかり飽きていた。

この大女とて、毛利家の四男に嫁いだ琴姫の威勢と幸運は理解している。しかし、いま琴姫が暗に自慢しているとは夢にも思わず、この類《たぐ》いの含みを察することができなかった。

海賊の男たちと船上で日々を送ってきた景は、鉈《なた》で割るような物言いしかできない。この意味で、景という女は、ほとんどの女を苦手としていた。

景にしてみれば、そもそも嫁入り先に求めることも異なっている。景の関心といえば、

「で、面白いのかよ、穂井田家の奥方は」

ということだけである。

琴姫はついに匙《さじ》を投げた。

「わかんないな、そういうのは。でも元清様は表向きのことも話してくれるから聞いているだけで楽しいわ」

たしなめるように言って海に目をやった。

「そんなもんかねえ」

景が得心のゆかぬ顔で返したときだ。

「こらぁ、景」

と吊り橋の方から怒声が響いてきた。

景は一瞬、首をすくめたが、兄、元吉の良く通る美声ではない。戦場さびの利いた雷のごとき蛮声である。

（来島の吉継《よしつぐ》伯父まで来てんのか）

景には兄のほかにいま一人、苦手とする男がいる。それが『能島来島因島由来記』に「小豆島《しょうどしま》以下、五ケ城の城主」とある、来島村上家の重臣、村上吉継であった。このときは、来島ではなく大三島《おおみしま》（愛媛県今治市大三島町）の沖合に浮かぶ小島を要塞化した甘崎城を本拠としていた。

琴姫の父、来島通康が九年前に病死した際、当時六歳の息子、通総《みちふさ》が来島村上家当主の座を継いだ。琴姫にとっては弟に当たる、幼い当主を補佐してきたのが村上吉継で、天正四年（一五七六年）のこの時期は、来島村上家の代表のごとき観があった。景の父、武吉よりも年嵩《としかさ》で、五十を越えていた。

ちなみに景を始めとする村上武吉の子たちは、因島村上家の当主を「吉充叔父」、この吉継を「吉継伯父」と呼ぶが、正確には叔父にも伯父にも当たらない。はるか昔の先祖が兄弟だったという一族の名残で、そう呼んでいた。

（相変わらず毛玉みたいだな、こいつ）

景は、五年ぶりに目にする吉継伯父の姿を眺めながら口元をゆがめた。

吉継は、絵物語で描かれているような、いかにも海賊らしい風貌だった。

丈《たけ》こそ並みだが、その体軀《たいく》は尋常でなく、半袴《はんばかま》から覗《のぞ》く足首は太く、腰廻りは豊かで、小袖の襟元《えりもと》からのぞく胸の肉ははみ出さんばかりに隆起していた。その胸毛は剛毛がうねって咽喉《のど》の辺りまで続いており、袂《たもと》から突き出た極太の小手にも黒い毛がびっしりと生え揃っている。景には毛の塊《かたまり》としか見えない。

「景、今度は何やった」

吉継は頭ごなしに怒鳴りつけてくる。鼻の穴が正面を向いたその顔は、下半分が棘《とげ》のような髯《ひげ》で覆《おお》われ、眉もまた極太で、藪《やぶ》の中から目だけが覗いているかのようであった。

「やってないよ、何も」

景は上目遣いに吉継を見て、似合わぬ弱腰で嘘《うそ》をついた。

「嘘つけ！　お前が何もやらかしてないわけないだろうが」

吉継は構わず叱り付ける。理屈も何もあったものではないが、昔からこうであった。

能島《のしま》に来る度、景を見かければすぐに雷を落とした。だが不都合なことに、景の方にも必ず思い当たるふしがある。弱腰になる景を、吉継は得たりとばかりに抱え上げては海へと放り込むのだが、おかげで景はすこぶる水練が上手になった。

景が十五歳のとき、来島村上家が毛利家に従い能島を攻めたため、それ以降は吉継に会ってはいない。従って海に投げ込まれることもなくなったが、吉継に相対すると本能的に身構えてしまう。しかも、いまの景にはいつものように思い当たるふしがあった。

「ほれ見ろ、やっぱり何かやらかしているだろうが」

吉継は指を鳴らして景に迫ったが、琴姫の視線に気付くと思い直したように腕を下ろした。

用事があったのだ。景に対するのとは打って変わって、至って恭《うやうや》しげな態度で琴姫に告げた。

「姫様、船の御用意が整い申したゆえ、そろそろ御帰城を」

「左様か」

琴姫もまた、目下の者に対するそれで吉継の言葉に応じた。

吉継は、来島村上の重臣とはいえ、あくまで家臣である。当主の姉である琴姫に慇《いん》慇《ぎん》懃な態度を示すのは当然であったが、それをいうなら景も能島村上の当主の娘で、琴姫のように扱われなくてはならない。

「オレだって姫なんだぞ」

景は苦情を発するが、吉継は目を怒らせ、

「お前のような姫御前《ひめごぜ》がいるか！」

と再び怒声を上げた後、

「さ、姫様」

辞を低くして、琴姫に道を促した。

（この毛玉野郎）

景は吉継の背に目を剝《む》いたが、

「じゃあまた、景殿」

と琴姫が可憐に別れを告げるので表情を引っ込めた。景も逃げている途中である。

「じゃあな、琴。オレもこれで消える」

と言い捨て、番屋に逃げ込もうとすると、

「どこに消えるのだ」

謹直な声がした。

兄、元吉の声である。それも番屋の中から聞こえた。とっさに暗い建物の内に目を凝らすと、兄の色白の顔が浮かび上がった。にこりともせず、目だけが鋭く光っている。明らかに怒っていた。

「兄者」

と言ったきり、固まった。

16

「座れ」

本丸屋形の自らの居室に入った元吉《もとよし》は、床柱を背にして座ると正面の座を指した。

「はい」

戸口にいた景《きょう》は、大人しく膝《ひざ》を揃えて座った。肩を落とし、首をがっくりと折ったその姿は、ひと回りも小さくなったかのようである。

元吉は景の頭頂部を見据えながら、静かに言った。

「また海賊働きをしておったな」

「はい」

景はうな垂れたまま返事をした。

「父上は見過ごしにしておられるが、軍船《いくさぶね》に女子《おなご》が乗るは禁忌《きんき》じゃとは軍書にもあることぞ」

「はい」

――軍船に女を乗《のせ》る事堅《かた》く可禁《きんずべし》。

能島《のしま》村上家に伝わる軍書『能嶋家傳』の一文である。

同書は、船戦《ふないくさ》の戦法や戦場での心得について記したもので、元吉はその信奉者であった。村上海賊に伝わる軍書はいくつかあるが、元吉はすべてを読破していた。

女を軍船に乗せてはならない、という掟《おきて》は村上海賊のいずれの軍書にも必ずといっていいほど記されている。元吉がこれを蔑《ないがし》ろにするはずがなく、景が兄から逃げ回り、吉継《よしつぐ》に対して弱腰になったのもこのせいであった。

「お前は以前」

と元吉の説教は始まったばかりだ。

「海賊働きは戦ではないゆえ、構わぬではないかと申したな」

「はい」

景は小声で答えたが、これは景の方にも一理あった。確かに帆別銭《ほべちせん》を徴収する海賊働きは、相手の抵抗に遭わなければ、争いや戦にならない。

が、戦がやりたくてうずうずしているこの女は、海賊働きに戦を求めていた。軍書に従えば、景は船戦に出られない。せめて海賊働きに出て、戦闘に臨み、鬱《うつ》を散じるぐらいのことはしたかった。

元吉はそんな妹の魂胆を見透《みすか》している。

「だが海賊働きも相手が抗《あらが》えばたちまち戦となる。それゆえこれも禁じたはずだ。いかなる場合であれ、女子は軍船に乗ってはならんのだ」

「はい」

「わしがこうまで言うのは何も軍書にあるばかりが理由ではないぞ」

「はい」

「お前の輿入《こしい》れのことじゃ」

と説教はまだ続く。徐々に熱を帯びるでもなく、延々と一本調子であった。

「お前の輿入れが一向に整わぬのは、何ゆえか分かっているか」

「はい」

「お前の素行《そこう》が良うないからだ」

「はい」

「輿入れは家同士の結び付きでもあり、お前のような素行の女子は婚家《こんか》に仇《あだ》をなしかねん。そんな危ない女を、おいそれと嫁に貰《もら》う奇特な家はないぞ。お前もそうは思わぬか」

景は依然、頭を垂れたまま、

「はい」

と返事した。

ここで元吉は気付いた。最前からこの妹は「はい」としか言っていない。

試しに訊いてみた。

「お前、さっきから、はいとしか返事をせんな」

「はい」

元吉の白い額で、青筋がむくむくと膨《ふく》らんだ。だが声音は変えず、

「はいはいと申しておれば、小言が終わると思うておるのだな」

「はい」

発した途端、景は我に返った。

（しまった、返事間違えた）

とっさに顔を上げると、正面に見えたのは真っ赤な兄の顔である。

「景！」

元吉は大音声に怒鳴った。

仰《の》け反《ぞ》って、後ろに手を付いた景に怒号が降りそそぐ。

「よいか景、戦に出たいなどと申しておるらしいが決してならんぞ。海賊働きも同断じゃ。おのれも海賊の娘ならば軍書に記された掟をしかと守るのだ。分かったな」

「はい」

景は仰け反ったまま返事をするほかない。

元吉は大きく息を吐き、しばらくの間、黙っていた。その顔はゆっくりと元の白色に戻っていく。いつもなら、この後も「女は軍船に乗ってはならぬ」という意味のことを言い回しを変えつつ繰り返すのだが、この日は違った。

「今日はそのことが眼目ではない」

そう切り出した元吉は、意外なことを訊いてきた。

「児玉就英《こだまなりひで》を見たか」

「うん」

景が恐る恐る座り直して不審げに答えると、元吉はこう言葉を継いだ。

「父上は児玉家との婚儀を望んでおられる」

（なに！）

景は危うく身を乗り出しかけた。しかし、眼は嘘をつけない。食い入る眼差《まなざ》しになった。

「父上の甘いことには、お前の意を質《ただ》せとの命じゃ」

元吉は、物欲しそうな妹の視線から不快げに目を逸《そ》らすと、再び視線を据え直し、

「否《いな》やはないいな」

と、高圧的に質した。

無論、景に異存などまったくない。就英ならば生業《なりわい》と容姿の双方ともに条件を満たしている。すぐにでも飛び付きたいぐらいだ。

だが、醜女《しこめ》にかぎって、何かともったいぶるのが常だ。いまの景もその例に漏れなかった。

「うーん」

と腕を組んで考え込むふりをした。

元吉は四角四面《しかくしめん》で生真面目《きまじめ》である。妹の態度の意外な変化に面食《めんく》らった。

「嫌なのか」

真剣に問うた。

景としては、もっともらしい理由を示さねばならない。

「じゃあ、父上は五年前の戦を水に流すってこと？」

「そのことか」

元吉は、得心《とくしん》が行ったように深くうなずいた。

「父上はそのおつもりだ。お前は五年前の戦以来、毛利を嫌っておると聞く。毛利の直臣《じきしん》たる児玉家も嫌か」

「いや、それはもういいんだけど」

あっさりこだわりを捨てる。肩透《かたす》かしを食らった元吉は、

「じゃあなんだ」

「児玉家ねえ」

「海賊の家がよいのだろう」

「それはまあ、そうなんだけど」

景はうつむいて見せた。ここで元吉は、思い出したように釘《くぎ》を刺した。

「但《ただ》し、輿入れしても海賊働きはできぬからな」

「え」

と、景は顔を上げたが、すぐに思い直した。海賊働きと軍船が禁じられているのは、

いまも同じである。嫁いだ後も、人目を盗んで海に出ればいいだけの話だ。

元吉は苛立《いらだ》ち始めた。

「どうなのだ。輿入れするのか」

景の顔を改めて見たとき、やっと気付いた。

「どうしようかなあ」

という景の思案顔に笑みが漏れ出てきている。もったいをつけているだけだ。

「身の程もわきまえずに、おのれはっ」

元吉は勢い良く座を立った。

「もういい、父上に断る旨《むね》伝えおく」

言い捨てると、荒い足取りで戸口に向かった。

となれば景も気取ってはいられない。

「嘘々、兄者」

這《は》い進んで、元吉に縋《すが》りついた。

「兄者、行きます、輿入れ致します」

「なら、さっさとそう言え！」

17

村上武吉《たけよし》は一人、本丸屋形《ほんまるやかた》の広間で一同を待っている。

広間といっても、周囲800メートルという小島の頂上のわずかな削平地に築かれた屋形の一室だ。三十畳もない。潮流の音が響くその広間で、開け放たれた明かり障《しょう》子《じ》の傍らに立ち、空を見上げていた。

「何だ武吉。まだ毛利は来ておらぬのか」

来島《くるしま》の村上吉継《よしつぐ》が乱暴に板戸を開けて入ってくるなり、怒鳴った。

「もう琴《こと》は送り出したか」

武吉は、振り返り微笑した。

小兵の武吉が、容貌魁偉《ようぼうかいい》な吉継に相対すると、大人と子供のようである。だが、席次は決まっている。子供が座るのは上座、大人は下座である。ここが能島《のしま》村上の本拠、能島城だからではない。来島、因島《いんのしま》で対面したとしても、能島村上の上席は定まっていた。

「ああ無事、出立《しゅったつ》なされたわ」

吉継は定め通り下座に腰を据えると、急に顔を顰《しか》めた。

「おい、景《きょう》に会うたぞ。何じゃありゃ。いい歳して妙な格好しおって。早う陸《おか》の武家へと嫁にやらんか」

武吉は笑みを絶やさず上座に直り、

「様々好みを言い立ておってな」

「贅沢《ぜいたく》言える身分かよ」

吉継が舌打ち交じりに言うと、再び板戸が開いた。

因島の村上吉充《よしみつ》だ。毛利、小早川《こばやかわ》家の家臣である児玉就英《こだまなりひで》、乃美宗勝《のみむねかつ》らに見せた慇懃《いんぎん》な態度とは打って変わって気楽な様子であった。

「ふう、肩凝ったあ」

と鞘《さや》ぐるみ抜いた刀で、しきりに肩を叩いている。その形が珍奇であった。幅は鋸《のこぎり》ぐらいもあろうかというほど広く、大きく湾曲していた。鞘の中身は、ちょうど三日月のごとき形であろう。

「吉充、いまだにその刀か」

武吉は可笑《おか》しげに訊いた。

吉充自慢の青竜刀《せいりゅうとう》である。村上海賊の先祖が倭寇《わこう》として朝鮮や明国の沿岸を荒し回っていた頃、この三日月形の刀を持ち帰ったという。日本刀に比べて切れ味は劣るものの、見た目の迫力は抜群である。

「まあ、脅し上げるにはこれが一番だからな」

吉充は武吉に青竜刀をかざし、吉継の対面に座った。

三島村上の筆頭が揃《そろ》うのは、毛利家との戦で対立して以来、五年ぶりのことである。それでもこの三人は、会えば即座に少年時代に戻ったかのような態度で互いに臨んでいた。だが、吉継と吉充の二人とも、武吉の腹の内までは分からない。

毛利家はすでに武吉に宛《あ》て、先触《さきぶ》れの使者を発している。毛利家の申し入れに対する武吉の返答次第では、再び戦沙汰《いくさざた》にもなりかねない。このため、吉継と吉充は、武吉の意向を事前に知り、毛利家に味方せぬつもりなら一族の者として説得しようと考えた。しかし武吉は、

「事前の評議など面倒なことよ」

と、毛利家の正使の来る今日までいかなる集まりも拒んできた。それどころか、毛利家の正使が来る直前のいまとなってもなお、

「相変わらずかね、毛利家の宮仕えは」

と呑気《のんき》に吉充に話を振っている。毛利家を侮《あなど》り、眼中にないかのような口ぶりであ

った。

　もっとも吉充は吉充で、ことさら軽い調子で事に臨む武吉のやり口を知り尽くしている。おどけたように肩をすくめた。

「楽じゃが随分と気を遣う。ま、これも因島村上を存続させるためさ。どうじゃ武吉、お前も独り立ちなどやめ、毛利の世話になっては」

　武吉は不敵に笑い、

「わしは世辞など言えぬ性質《たち》でな。無理だ」

「ごもっとも」

　吉充は、形の良い眉を上げて苦笑した。

　こんな二人のやり取りに、吉継は業《ごう》を煮やしている。これも毎度のことで、ずばりと切り込んだ。

「追って毛利家の正使が来るのだろうが、どうする気だ、能島は。毛利家の求めに応ずるのか」

「さあ、どうするかな」

　武吉は、調子を変えようとしない。吉継は極太の眉を怒らせた。

「五年前のような騒ぎを起こすな。毛利家の申し入れを断るなら、わしも再びお前と戦せねばならぬやも知れぬのだぞ」

「恐いの」

とは言うものの、武吉の顔は綻《ほころ》んだままである。その顔を吉充に向け、軽い口調で訊いた。

「吉充、お前も毛利に命ぜられれば、また能島を攻めるのかね」

「まあな、いまは毛利の配下だからな」

さらりと応じる吉充に、

「おお恐」

と武吉は大げさに眉を上げて見せた。

もはや手に負えない。吉継はそっぽを向いた。

「父上」

と入ってきたのは元吉《もとよし》である。上座に歩み寄ると、武吉の傍に控えて告げた。

「最前の話、訊くまでもござらなんだ。景めは承知してござりまする」

「そうか」

目をつぶり、ゆっくりとうなずく武吉に、そっぽを向いていた吉継が口を挟んだ。

「おい、景がどうしたってんだ」

武吉は明かさない。

「すぐに分かるさ」

吉継は苦々しげに髯《ひげ》をむしったが、上座から下がって自らの横に座した元吉を見て、にやりと笑った。

「おい元吉。相変わらず酒もやらんで軍書読みかよ。戦は実戦で学べ、実戦で。畳水《たたみすい》練《れん》じゃ戦は分からんぞ」

真面目な者は、真面目さをからかわれるのを極端に嫌う。元吉は不快げに顔をゆがめ、

「吉継伯父ご自身が書かれた軍書も、その中にはあったはずですがな」

とやり返した。

『三島流水軍理断抄』という軍書がそれであった。能島、来島、因島に伝わる軍書を、ここにいる武吉、吉継、吉充の三人が取捨してまとめ上げたものだ。

元吉が解《げ》せなかったのは、この軍書が、亡《な》き毛利元就《もとなり》の求めに応じて作成され、献上までされたことである。本来、秘すべき船戦の戦術や軍法を他家に渡してしまうとは、父の武吉といい、この吉継といい、一体どういうつもりなのか。

「毛利家の先君が自家の軍書となした、あれでござるよ」

元吉は、吉継を詰《なじ》るように言った。

軍書を献上された元就は、大いに満足し、「一品流《いっぽん》」と呼んで自家の水軍に取り入れ、軍法としていた。それゆえ毛利家直臣の児玉就英はもちろん、小早川家家臣の乃美宗勝も、村上海賊の編み出した戦術に習い、軍法に則《のっと》っているのである。

「ああ、あれな」

と吉継は髯をいじりながら悪びれず、

「軍書をまるまる信じると、勝てる戦も勝てぬようになるぞ」

と小馬鹿《こばか》にして笑った。

が、元吉には嘲弄《ちょうろう》されるいわれはない。軍配《ぐんばい》こそ武吉が握ったが、弟景親《かげちか》とともに五年前の戦に出ている。

「信じるなと申すのなら、軍書など必要ありませぬな」

冷ややかに言った。

ほどなくして毛利家の正使が到着した。能島の家臣が下座近くの板戸を開けて、

「毛利家家中、児玉就英様、小早川家家中、乃美宗勝様、御着到にございまする」と、

広間の一同に向けて言上《ごんじょう》を終えぬうちに、

「ややあ、お待たせし申したな」

と、乃美宗勝が陽気な声とともに広間へと入ってきた。宗勝に続いたのは、むっつりと黙ったままの児玉就英である。

「懐《なつ》かしや、武吉殿」

宗勝は、就英とともに下座の中央に胡坐《あぐら》をかくと、正面の武吉に毛の抜け上がった大頭をがくりと下げて挨拶《あいさつ》した。

武吉も大きくうなずいて応じた。だが笑みを湛《たた》えつつ口にしたのは、その態度とは正反対のきつい言葉である。

「久方ぶり。五年前に能島を攻めに来て以来じゃな」

宗勝も、この海賊の王との交渉の場に何度か臨んだ古馴染《ふるなじ》みである。

「いや、それを言われると、願いの儀が申し上げにくうなりまするわ。ご勘弁くだされ」

大げさに額を叩いて頭を下げ、武吉の言葉をかわした。

（――何だ、この体《てい》たらくは）

就英は内心、怒りに震えた。

毛利家の正使たる宗勝が、あろうことか下僕のように平身低頭《へいしんていとう》すらしかねない勢いである。しかも、いつになく陽気で饒舌《じょうぜつ》になっている。それもこれも、村上武吉を持ち上げんがためのものではないか。

武吉という小男も平然と上座に直り、追従《ついしょう》するかのような宗勝に対して、

「いや、あのときはわしも少々やり過ぎた」

と格上の者のごとく言葉を掛けている。そもそもこの男は、毛利家警固衆《けごしゅう》の長たる自分に対して、挨拶どころか目も合わせようとしない。

(何という尊大な男)

能島《のしま》村上家は毛利家の家臣ではないゆえ、武吉が上座でも構わない。また下座におさまった就英から名乗って当然であるから、就英の怒りは不当なものである。宗勝の態度にしても、座の空気を和《やわ》らげようとしたに過ぎないのだが、権高《けんだか》な就英には大いなる屈辱であった。

「能島殿!」

就英は声を張り上げた。切れ長の目を吊《つ》り上げ、

「先触れの者に持たせた書状は読んだか」

座の空気を凍りつかせるような厳しい調子で詰問《きつもん》した。

「はて」

と、ここで武吉は就英に初めて視線を送った。続いて、丁重《ていちょう》にも座を滑らせて身体ごと就英に向き直り、わずかに頭を下げた。

「拝読し申した。毛利家は織田家にいよいよ反旗を翻《ひるがえ》し、大坂本願寺に十万石の兵糧《ひょうろう》入れをしなさるとか」

武吉の言葉遣いは至って丁寧で、顔からは笑みが消えて真顔に変わっている。我が一喝に、この海賊は毛利家の威の大なるをようやく思い出したに違いない。

が、就英はそれが誤りであると、すぐに知ることになる。

「左様にござりましたな、児玉就方《なりかた》殿」

と武吉は眉《まゆ》ひとつ動かさずに言ったのだ。

（おのれ）

「就方は父の名じゃ！　わしは就英じゃ、よう見知りおけ」

就英は喚《わめ》くなり、片膝立ちになった。

その途端、

「ようやく名乗られた」

武吉は、再び口角を上げてうなずいた。その笑みは、子供を諭すかのように柔らかである。

（わしに名乗らせるが狙《ねら》いか）

就英は悔やんだものの、こんな邪気のない笑みを浮かべる者に喚き立てるなど、我が身の卑小さを示すことだ。

「くっ」

と身体の力を抜いて、元の座に腰を据え直した。

武吉はそれを見届け、

「能島村上の当主、村上武吉にござる。あれは嫡男《ちゃくなん》の元吉」

物柔らかに言って、下座の元吉を指し示した。

（怒らせてどうすんだよ、父上は）

と顔を顰めたのは、広間の外の廊下で片膝を抱えながら聞き耳を立てていた景である。もちろん、これから出るであろう輿入《こしい》れの話を盗み聞きするためだ。

ところが聞いていれば、父は将来の婿《むこ》殿をなぜか挑発している。

（ったく、どういうつもりだよ）

広間からは、「きついのう、武吉殿」との声が洩《も》れ聞こえてくる。苦笑まじりの声音《こわね》は、いかにも気心の知れた者同士のあの禿《は》げ頭のものであろう。

宗勝は、怒る就英を置き去りにして話を引き継いだ。

「いかにも当方よりの願いの儀とは大坂本願寺への兵糧入れのことにござる。これは将軍家の御意向でもござれば、越後《えちご》の上杉謙信も味方に参ずる由《よし》。武吉殿には御味方なされたとて損はなきものと存じまする」

武吉は微笑しながら耳を傾けている。だが、宗勝を捉《とら》えた巨大な黒目は、どこか冷え冷えとしたものを感じさせた。

「ほう」

と返事はするものの、表情は変わらない。口だけが動いているといった体《てい》で、とても心が伴っているとは思えなかった。

（相も変わらずやりにくいわ）

宗勝は途方《とほう》に暮れた。かといって武吉に含むところはない。むしろ大毛利の正使に対して不遜《ふそん》でいるこの海賊王の心胆を仰《あお》ぎ見るような心持ちになっていた。

とはいえ宗勝も、ここで黙っているわけにはいかない。毛利家不利と取られ、武吉に拒絶されることだけは避けたい。思いつくまま言葉を並べた。

「武吉殿は、兵糧をお運びくださるだけでよろしゅうござる。大坂からの使者によれば難波海《なにわのうみ》には織田方の兵船は出ておらぬ由」

しかし、そんなことは、わざわざ教えられるまでもなかった。難波海から出航する商船は毎日のように能島村上の関船に引っ掛かる。難波海の状況は、宗勝よりよほど熟知していた。

「なるほど、兵糧だけをな」

武吉は淡々と宗勝の言葉をなぞった。諾《だく》とも否《ひ》とも返答しない。挙句《あげく》には、

「いや、思い出すわ。こうして宗勝殿に口説《くど》かれると厳島《いつくしま》合戦が昨日のことのようじゃ」

とまた昔話を持ち出した。

(懐かしげな顔もしておらぬくせに)

宗勝は内心、苦笑しながらも、「いやまったく」と応じたが、それきり二の句が継げなくなった。すでに言うべきことは言ってしまっている。

(誰ぞ武吉に良き返答を促してはくれぬか)

救いを求めて広間の一同を横目で見た。が、武吉に言い含めるなど無理だと思っているのか、皆、無言で武吉を注視している。吉継は髷を乱暴にかきむしりながら、吉充は呆《あき》れ顔で、傍らの就英は顔を紅潮させて武吉を睨《にら》み付けていた。嫡男の元吉さえも、父から事前に意向を知らされていないのか、落ち着かぬ様子であった。

—もはや宗勝には、ずばり訊《き》くほか手は残されていない。

「いかがでござろうか。御味方くだされましょうや」

すると、武吉はそれには答えず、

「ところで宗勝殿」

と問いを返した。

「上杉謙信めが味方せぬとなれば、いかがするつもりかな」

そのことは安芸郡山城での衆議で結論を得ている。

「上杉謙信味方せずとも、毛利家は兵糧入れを断行する構えにござる」

宗勝が返答すると、武吉は続けて妙なことを口にする。

「隆景《たかかげ》もかね」

「は？」

「小早川隆景もその意向か」

（隆景様のご存念を見抜いている）

宗勝は心中で舌を巻いた。

毛利家の衆議の場で、宗勝の主《しゅう》、小早川隆景は「謙信が味方するのを待て」との考えを示していた。武吉はそのことを見抜いて問うたに違いない。だが、隆景の兄、吉《きっ》川元春《かわもとはる》と毛利家の重臣たちに押し切られ、隆景は自論を捨てて従っている。宗勝は衆議の結論だけを伝えた。

「無論、毛利家の意向にござれば我が主、小早川隆景も承知しておりまする」

「左様か」

そう返事をしたとき、武吉の黒目が動くのを宗勝は見逃さなかった。横目で明かり障子を見詰めたまま、視線を動かさない。厳島合戦の交渉のときにも見せた、武吉が考えを巡らせているときの癖であった。

(何だ)

宗勝は、武吉の黙考《もっこう》の中身を探ろうとした。話の流れからいって、隆景についてのはずである。

(何を考えている)

武吉と隆景は、同い年の四十三歳であった。折りにふれて毛利家を訪れていた武吉は、少年の頃から隆景を知っている。宗勝の見るところ、武吉は隆景に匹敵するか、あるいはそれ以上の知恵者である。この男ならば隆景の思惑など、手に取るように分かるのではないか。

(もしや隆景様に、さらなる御所存があるのか)

宗勝は、武吉の隆起した額を見詰めていたが、それも少しの間であった。考えがまとまったのか、武吉はふと鼻で笑い、再び目を正面に据え直した。と思うと、まるで無関係のことを問い掛けてきた。

「ときに児玉就英殿」

「なんじゃ」

話を振られた就英は小さく驚き、容《かたち》を改めた。

「就英殿はいまだ嫁儲《よめもう》けなさっておらぬと聞くが、相違ござらんか」

「それがいかがした」

就英は、くだらんことを訊くなと言いたげに返した。自分が独身であることがこの座と何の関係がある。

武吉は重ねて問う。

「嫁を貰えば軍船に乗せるかね」

「なに」

腹立たしげに聞き返す就英に、武吉は繰り返した。

「乗せるのかね」

「馬鹿な。軍書にもある通り、軍船に女子《おなご》は禁忌《きんき》じゃ。乗せるはずがなかろう。もっとも能島村上の家風は知らぬがな」

「うむ」

　武吉はその答えを聞き、深くうなずいた。

　廊下の景は気に入らない。

（父上は就英にオレを縛り付けさせたいんだな）

　と、片膝を抱えた格好のまま、心中で舌を打った。就英に対する問い掛けが、それを確かめる狙いなのは明白である。

（でもまあいいか）

　望みの海賊家に輿入れしてしまえばこっちのものだ。不敵に笑って、

（就英ごとき、オレの方がねじ伏せてやる）

　と腹を決めながら、広間に耳をそばだてた。

（父上ももったいぶってないで、毛利に味方するならさっさとそう言えばいいのに）

　自分を児玉就英に縁づけるつもりなら、父は毛利家にも悪いようにはしないはずだ。ならば、早いところ兵糧入れに応ずると返答し、就英との縁組も申し出ればいいのだ。にもかかわらず、広間からは最前、就英の返答に対して父が発した「うむ」という声を最後に何も聞こえてこない。

　広間の宗勝も、固唾《かたず》を呑んで武吉の言葉を待っている。

「いかがなされた」

つい催促した。

「いや、決め申した」

武吉は強くうなずくと目を見開いて言った。

「御味方しよう」

「おお」

宗勝だけではない、来島、因島の両村上家の筆頭たる吉継と吉充までもが声を上げた。これで三島村上が再び干戈《かんか》を交えることはなくなった。

三人の上げるどよめきの中、武吉は再び口を開いた。

「だが条件がある」

「褒賞《ほうしょう》でござろうか、毛利家ではまだ決めてはござらぬが、遠慮無《の》うお申し出くだされ。この宗勝、見事、毛利本家と掛け合ってみせまするわ」

禿げ頭は浮かれて言った。

だが武吉の出した条件は、男であれば到底受け入れられるはずのないものである。

「我が娘、景を、児玉就英殿に輿入れさせたい」

「何じゃと！」

句した。
激昂《げっこう》してまたも片膝を立てる就英とは反対に、宗勝、吉継、吉充の三人は一様に絶
元吉でさえ呆然《ぼうぜん》と父の顔を見詰めている。醜女《しこめ》で悍婦《かんぷ》の妹を押し付けるのと引き換
えに、毛利家に味方するとは、この嫡男も聞かされていない。
(何だよそれ)
と廊下の景も、啞然《あぜん》としていた。
自分に甘い父が、海賊家に嫁に行きたいという娘の望みを叶《かな》えようとしていること
までは承知していたが、縁組が毛利家に味方するのと交換条件とは余りに露骨ではな
いか。縁組の話は、毛利家に味方すると確約した後で持ち出すべきで、これでは、ま
とまるものもまとまらない。
(父上、話の順序が逆じゃ、逆)
あれほど賢い父が実の娘を溺愛《できあい》するあまり錯乱したのか、形振《なりふ》り構わず縁組を勝ち
取ろうとしている。しかも、景を嫁にもらうことが受け入れ難いと言ったも同然のや
り方でだ。こんな話、こっちから断ってしまうべきではないのか。
(でもなあ)
が、即座に思い直した。自らの武辺と女としての器量が隔絶していることをこの娘

自身、知っている。あれほどの男振りで、しかも海賊衆である。またとない好機であることには間違いない。

（大人しくしてるか）

そうと決め、広間の成り行きをうかがった。

広間からは宗勝の声が聞こえてくる。その声音は、問うてはならないことを問うような、恐る恐るといった調子であった。

「念のためお尋ね申すが、毛利家に加勢するを断っておられるというわけではござらんのじゃな」

（どういう意味だよ）

景は口を尖《とが》らせ、板戸の向こうの宗勝に心中で苦情を発した。しかし、この禿頭にすれば、そう訊きたくなるのも道理である。武吉には毛利家に加勢する意思はなく、景の輿入れという無理難題を持ちかけて、話をご破算にしようとしているとしか思えなかった。

だが景は、父がそんな性根の据わらぬ男ではないと分かっている。嫌であればずばり断るのが、父という男であった。父にとっては、毛利家への加勢は二の次で、あくまで娘の輿入れこそが大切なのだ。ただ、そう思うと、

(父上には苦労をかけるわ)

嘆息せざるを得ない。

「お前は傾城《けいせい》じゃの」

と、父は景の幼い頃から言い続けてきた。

「お前ほどの傾城ならば、どこへでも望みの家に嫁げるわ」

傾城とは美人のことだと教えられた。景自身が、どうやらそうではないらしい、と気付く年頃になっても父は言い続けた。景が見るところ、父は本気で思っていたし、いまでもそう信じているようだった。

しかし利口な父のことである。まわりの見方が余りに自分と乖離《かいり》していることも知っていた。このため、「世間の男は見る目がないの」とぼやきつつも、娘の望み通り海賊家に輿入れさせるべく、いくつか手を打ったが、さすがの海賊王もこればかりは無理だった。

いま、父が交換条件を持ち出したのは、こうした情勢に業を煮やし、まずは縁組の確約を得たかったからで、父としてもこんなやり方は甚だ不本意のはずだ。そんな父の無念を知っているからこそ、景はごり押しのごとき縁談にも驚くだけで決して怒りは湧《わ》いてこなかった。

「毛利家に加勢するを断っておられる、というわけではござらんのじゃな」と宗勝に言われ、武吉は嚇怒《かくど》していた。巨眼に怒気を漲《みなぎ》らせ、宗勝を見据えると、

「誰が断ると言うた」

底響きのする声で宗勝を圧した。

「断っておると思うのであれば、そう取っても構わんぞ」

（――本気じゃわ）

宗勝は、親馬鹿の海賊王を呆れる思いで見詰めた。ここは詫《わ》びるしかない。

「いや、御無礼仕《つかまつ》った」

禿げ頭を畳に擦《こす》り付けて平伏した。再び顔を上げ、

「しかし、我らも毛利家の家来にござれば、能島村上家と自儘《じまま》に縁組を約することは叶いませぬ。しからば主の意向を聞いた上で、改めてお答え致しまする」

武吉は幾分か機嫌を直した。

「いかさま、左様にござろう。互いにとって良き返答をお待ち致す」

と返したとき、憤然と座を立ったのは就英であった。

「わしが断る！」

昂然《こうぜん》と言い放った。秀麗な顔は怒りの余り紅潮を通り越し、凄惨《せいさん》な蒼白《そうはく》に変わって

いた。

「この男はやはり断っているのだ。五年前に毛利に攻められたを根に持ち、到底我らの呑めぬことを条件に出してきたに決まっておる。あのような醜女の悍婦を誰がもらえるものか。斯様《かよう》な話、わしが一決する。断る！」

（わあ）

景は、瞑目《めいもく》して天を仰いだ。

わが身に対するこれほどの悪《あ》しざまな物言い、聞いたことがない。普通の女子なら、気絶するのではないか。

（こうしてはおれん）

とっさに立ち上がった。

就英は当然座を蹴《け》って広間を出てくる。となれば、廊下で鉢合わせになるのは必至だ。輿入れを思いきり蹴られた女として、これだけは絶対に避けたい。聞けば広間からは、「御免っ」と叫ぶ就英の声が響いてくる。

（逃げねば）

長い廊下を、突き当たりの角を目指し一目散に駆け出した。

18

広間の一同は、焦《あせ》りの表情を浮かべていた。仮にも毛利家警固衆《けごしゅう》の長を、あれほどまでに怒らせたのである。毛利家の出方次第では、三島村上が再び交戦状態になるかも知れない。来島《くるしま》村上家の吉継《よしつぐ》などは露骨に頭を抱えていた。

ただ一人、武吉《たけよし》は泰然としている。

最前の怒りもどこへやら、笑みを含んで乃美宗勝《のみむねかつ》を見ていた。

(どう収める、この事態を)

と、試すような目でいた。

就英《なりひで》に逃げられては宗勝に取るべき手段のあるはずがない。

「いずれ改めて」

禿頭の汗を拭《ぬぐ》って立ち上がった。

「ああ」

武吉は、穏やかな表情でうなずく。

宗勝は戸口に向かったが、ふと思い直して振り返った。長年、武吉との交渉役を務めてきた男である。言うべき苦情を言った。

「武吉殿」

「ん？」

「少々吹っ掛けすぎにござるぞ」

宗勝はいたずらっぽく笑った。景の輿入《きょう》れを求めるとは、余りに要求が大きいということだ。

今度は武吉も怒らない。にやりと笑った。

「何とかしろよ、宗勝」

「くう」

返事の代わりに困り顔を作って見せて、宗勝は板戸を閉めた。

就英の足音はとうに聞こえず、宗勝のそれもやがて消えると、武吉は大笑した。

「児玉《こだま》就英、未熟ではあるが良き武者よ」

「あの鼻っ柱の強いだけの小僧がかよ」

吉充《よしみつ》が不機嫌な顔で嘲弄するように言う。この因島《いんのしま》村上の当主はこれまで、就英の高飛車な物言いを耐え忍んできた。

武吉の上機嫌は依然変わらず、

「わしもかつてはあんな風であったよ」

「へえへえ」

吉充は聞き流している。若い頃の武吉の生意気さと言ったら、就英など比べものにならないほどだったし、いまも分別臭く見せてはいるものの、ともすれば利《き》かん気の本性が顔を出すからだ。

「追わんでいいのか、吉充」

武吉がからかうように言った。自分が怒らせておきながら、毛利家の配下にある吉充には、就英と宗勝を追い掛け、詫びの一つも入れた方がいいのではないかと忠告している。

吉充は、処世に関しては武吉などよりよほど巧者のつもりである。

「無論、追うさ」

優男の甘い笑みを消すと、

「就英殿、宗勝殿っ」

広間を飛び出して行った。

廊下を駆けてきた景は、突き当たりを曲がったところで右往左往していた。このまま廊下を進んでも、いずれ道は真っすぐになり就英の視界に入る。さっさとどこかの部屋に逃げ込んでしまいたい。

　見れば、左右に板戸がある。

（どっちにしよう）

　と、まごついたのが悪かった。

「景姫か」

　就英の怒り交じりの声が後ろから飛んできた。

（しまった）

　小さく嘆息して、ゆっくりと振り返った。

　就英は荒々しい足取りのまま、景に歩み寄ってくる。

「広間での話、聞いていたのだな」

「まあな」

　景がうんざりしたように答えると、就英は正面で止まり、

「よいか景姫」

　と厳しい顔で言った。

「この児玉就英は毛利家警固衆の長だ。侍だ。侍が妻をもらうに美醜《びしゅう》は問わぬ。ゆえ

にそなたを娶《めと》ることが嫌さに座を立ったのではない」

景が醜女《しこめ》だと言ったも同然の言葉である。

「そういうことを当人に向かってまあ」

景は呆《あき》れたように言い返したが、心中で思っていたのは別のことだ。

(良い男だなあ)

就英の涼やかな目元は、怒りによってさらに色気を増し、言葉を区切るごとに厳しく引き結ばれる口元は凜々《りり》しさが溢《あふ》れんばかりである。遠目に見ても良き武者振りだったが、間近に見る就英は、ため息が出るほどであった。

就英は随分と気位《きぐらい》が高いらしいが、それに伴う重責を果たそうとしている。その気組《きぐ》みが、この男に先の言葉を言わせたのだろう。こういう男は嫌いではない。

しかし、そんな男から吐かれる言葉は容赦《ようしゃ》なかった。

「わしが輿入《こしい》れを断ったは、能島《のしま》村上殿の条件の出しようが気に入らなんだからだ。他意はない。姫の美醜でもない。そう心得られよ」

念を押し、景の返事も待たずに去っていった。

(終わった――)

悄然《しょうぜん》と就英の背を眺めていると、後ろから就英を追って宗勝がやってきた。追い抜

きさま、

「申し訳ござらんな、いずれまた」

と、何やら慰めとも取れる言葉を残し、足も止めずに行ってしまう。

(禿《はげ》め、余計なことを)

一層、惨《みじ》めな気分にさせられたところに、さらにその後から駆けてきた吉充が、愉快げに追い討ちをかけた。

「おう景、また駄目だったな」

「うるせえ」

言ったときには、吉充の背は廊下の先へ走り去っていた。

景は長いため息をついた。

(――独りになりたい)

と思って、右手の板戸を開けて部屋に入ると、大勢いた。

狭い部屋一杯にひしめく者たちが、一斉に景を見上げた。なぜか景親《かげちか》も胡坐《あぐら》をかいてその中にいた。

「声が大きいですな、あの児玉就英という男」

景親は笑いを必死に堪《こら》えて言う。

（こいつらに聞かれたか）

景は歯嚙《はが》みしたが、ここで怒っては恥の上塗りである。無言を貫いた。

姉の弱みに付け込むのが景親という弟だ。その後の逆襲を何度も経験しているにもかかわらず、日頃のうっぷんを晴らそうと、これ見よがしに噴き出した。

「また流れたようですな、輿入れ」

景は無言で爪先《つまさき》を立て、景親の鳩尾《みぞおち》にめり込ませた。

「むぐっ」

と悶絶《もんぜつ》する景親を尻目《しりめ》に、表情も変えず部屋の一同へ目をやる。見れば、揃《そろ》いも揃ってきたない野良着《のらぎ》姿であった。

「何者じゃ、お前ら」

問うと、景親が息も絶え絶えに答えた。

「姉者が最前、救うた廻船の百姓どもじゃないか」

廻船に水夫《かこ》として残した兵から景親が聞いたところでは、海上で別れた後、一人の小僧が、「難波《なにわ》まで上乗《うわの》りを頼みたい」と言ってきたという。

「始めは相手にせなんだが、百姓どもが皆しつこく食い下がってきたゆえ、父上か兄上に指図を仰ごうと能島に船を廻したとのことじゃ」

景親は言い終えてようやく息が戻ったのか、大きく呼吸を繰り返した。

「なんだ、そうか」

景は、つまらなげな顔になると、

「そういうことなら、あのとき、オレに言えばいいだろ」

と百姓たちを見据えた。

百姓たちは、この海賊王の娘がどんな女かすでに知っている。膝《ひざ》を揃えて座ったまま、皆うつむいたが、一人が顔を上げて言い放った。

「姉ちゃんが、さっさとどっか行っちゃうから、言う暇がなかったんだろ」

景には見覚えがあった。

「何じゃ、またお前か」

「留吉《とめきち》じゃ」

小僧は憤然と名乗り、「何度も呼んだのにさっさと帰りおって」と、関船《せきぶね》に早々と戻って姿を消した景を詰《なじ》った。相変わらず、命を救われた礼のひと言もない。

景もそんなことを要求する女ではなかった。

「わかった、わかった」

と、いなすと、面倒臭そうに、

「難波まで何しに行くんだよ」

と訊いた。

留吉を抑えて代わりに答えたのは年寄りだ。留吉が、源爺《げんじい》と呼んでいた七十は越しているであろう老人である。「姫様」と両手を板敷きに突いた。

「我らは日頃の恩に報いるため、大坂へ兵糧《ひょうろう》を入れ、自らも兵となることで、馳走《ちそう》せんとする者にござりまする」

大坂が本願寺を指すのは、景も知っている。珍しいものでも見るように、ぐるりと一同を見回すと、

「門徒か、お前ら」

「いかにも左様にござりまする」

源爺は答えた。

百姓たちは、安芸《あき》門徒と呼ばれる一向宗《いっこうしゅう》の信徒であった。

一向宗の中国地方における布教は、三百五十年前の建保《けんぽう》四年（一二一六年）に、開祖親鸞《しんらん》の弟子、明光上人《みょうこうしょうにん》が備後国沼隈《びんごのくにぬまくま》の地（現在の広島県福山市沼隈町）に光照寺《こうしょうじ》を開基《かいき》したことに始まる。

本願寺十世門主、証如《しょうにょ》（顕如の父）が天文五年（一五三六年）から二十三年（一五五

四年）の間、記した日記『天文日記』には、備後国（広島県東部）の光照寺、安芸国（広島県西部）の照林坊《しょうりんぼう》が、本山である本願寺に対し、それぞれ末寺《まつじ》として記録されている。天正四年（一五七六年）のこの時期、この二つの末寺が一向宗の主な布教の拠点となっていた。

安芸国における門徒の増加には、末寺の存在とともに「講《こう》」と呼ばれる門徒たちの集まりの果たした役割が大きい。講とは、もともと村々にあった寄合《よりあ》いに、一向宗の教義が持ち込まれたことで、村ぐるみ門徒化した組織だ。とくに安芸国では、この講が続々と生まれ、格別の規模から安芸門徒と呼ばれていた。

安芸門徒たちは、大坂本願寺を苦境から救うべく、すでに立ち上がっている。しおらしくも講ごとに船を仕立てて難波の地に赴《おもむ》き、細々ながら兵糧《ひょうろう》を入れ、自らも籠《ろう》城《じょう》に参加していた。

源爺と留吉たちの住む、安芸国高崎にあった村も講を組織している。そして二人の属する講の村人たちもまた、本願寺に加勢するべく船を雇ったのであった。

「その船の船頭が、姫様の懲《こ》らしめてくださった悪党じゃったというわけにござりまする」

源爺は、床に目を落としつつ、語り終えた。

「なるほどなあ」

と景は言うが、門徒になど全然関心がない。景自身、門徒ではなく、能島のある伊《い》予国《よのくに》（愛媛県全域）も一向宗が盛んではなかった。

「姉ちゃん、能島村上の姫なんじゃろ。大坂まで上乗りするよう、誰ぞに命じてくれんか」

景の反応の悪さにも構わず、留吉が横から口を挟んだ。

「へっ」

景は突っ立ったまま、冷ややかな目で留吉を見下ろした。

そんな調子なのも無理からぬことである。

児玉家への輿入れはすでに峻拒《しゅんきょ》されている。となれば、毛利家について再び抱くのは、

――五年前に能島を攻めた敵。

という思いである。兄の元吉から、児玉家への輿入れについて尋ねられた時にはどうでも良くなっていたことが、またもむくむくと頭をもたげてきた。毛利家が兵糧入れして救わんとしている大坂本願寺と門徒の連中に、手を差し伸べる気にならなかったし、そんな義理もない。

「門徒ならば、お前らは毛利の一味ということだろうが。冗談じゃない」

ところが、留吉は意外にも、

「わしらは毛利家なんぞ、相手にしとらんわ」

と、ぶすっと口を尖らせる。

景は訝《いぶか》しげな顔で、

「最前まで毛利家の者どもが、大坂本願寺に味方するよう頼みに来ておったんだぞ。お前らの味方じゃないか」

すると、留吉は話を嫌な方に持っていった。

「毛利家の者どもって、さっき輿入れ断ってた、あれのことか」

話はしっかり聞かれていたらしい。

「そうだよ。あれだよあれ」

鼻白む景に、留吉は憤懣《ふんまん》やる方ないといった調子で吐き捨てた。

「毛利家など当てになるものか。毛利がいつまでたっても動かぬから、せめてわしら安芸門徒だけでも加勢に向かおうとしておったんじゃ」

こう言われても、景は留吉たち門徒の俠気《きょうき》に応《こた》える気にはならない。

「へえ、ご苦労さんだねえ」

依然、関心なさげな顔でいる。

留吉は諦《あきら》めない。膝を進めてにじりよると、再び懇願した。

「頼むよ、姉ちゃん。大坂まで上乗りを命じてくれよ」

「駄目」

「お願いだから、頼むよ」

「嫌だね。毛利の味方なんぞ誰がするもんか。大坂なんか絶対行かないよ」

景はそっぽを向いて、にべもなく断った。

留吉たちは毛利家と気脈を通じてはいないようだが、こいつらを大坂に連れて行けば、結果として毛利家を利することになる。そんなこと、どんなに頼まれてもやりたくない。

（誰が行くか）

天井を睨《にら》みながら、心中で繰り返した。

留吉は口をつぐんだらしく、もはや何も聞こえてこない。部屋の一同からも声は発せられなかった。聞こえてくるのは地響きのような潮騒《しおさい》ばかりだ。

（随分、黙ってやがんな）

ようやく景は疑問を持った。沈黙が長すぎる。船を仕立てて大坂へ向かわんとするほどの門徒たちなら、もっと食い下がってもいいのではないか。

（なんだ？）

と門徒たちに目を戻すと、部屋中の皆が皆、景をじっと見上げていた。それも全員が全員、咎《とが》めるような粘《ねば》っこい目でこちらを見詰めている。

「なんだよ」

景は僅《わず》かにうろたえながら睨み返したが、門徒たちはじっと目を据えたままだ。留吉はなぜか微《かす》かに含み笑いを浮かべている。

やがて景は視線の意味に気付いた。

「ち、違うぞ、お前ら」

慌《あわ》てて腰を屈《かが》めると、門徒たちの顔を見渡し訴えた。

「輿入れ断られたのを根に持ってるんじゃないからな」

門徒たちは、板戸一枚向こうで繰り広げられた就英とのやり取りを聞いている。含みのある視線は、景の腹いせによる仕返しだと決めつけているに違いない。

「勘違いするなよ。毛利が五年前にここを攻めたから、それでお前らの頼みも断ってんだからな。お前ら門徒に兵糧入れをさせて、毛利の奴《やつ》らに加勢するような真似《まね》、オレら能島村上はできん。だから断る。そういうことだ」

だが、まくし立てればまくし立てるほど、言い訳じみてくる。門徒たちからは何の反応も返ってこない。

（こいつら――）

景はこの雰囲気をどうにかすべく、

「そうだよな、景親」

と弟を見やると、身内までもが門徒と同じ目で見上げていた。

（この野郎）

爪先を立て、弟の鳩尾に喰らわせた。

「まだ何も言ってないじゃないか」

またも悶絶しながら訴える景親に、

「言ってる顔してた」

決め付けると、門徒たちに改まった顔で念を押した。

「分かったな、お前たちも。能島村上は門徒には加勢せぬ。理由は五年前のことじゃ。分かったら、早々に立ち去れ」

そのとき、

「見目麗《みめうるわ》しき村上海賊の姫様」

源爺が膝を進めて、大胆にも景に詰め寄った。

源爺は嘘《うそ》を言っているつもりはない。廻船の上で初めて景の姿を認めた際、目が離せなくなったのは、このせいであった。だが、その一方で知恵を働かせている。廊下でのやり取りを聞けば、この姫は醜女で、嫁の貰《もら》い手もないらしい。ならば、この軽《けい》忽《こつ》そうな女子《おなご》は、これから明かす話に乗ってくるかもしれない。

景は苦笑して、源爺を見下ろした。

「何だ爺様、お世辞言っても駄目なもんは駄目だぞ」

源爺は大真面目《おおまじめ》な顔でいる。

「お世辞ではござりませぬ。美しいがゆえ、美しいと申し上げたのでござりまする」

(この爺《じじい》)

景は眉根《まゆね》を寄せて怒りの色を表した。

「おい爺、からかう相手を間違えるなよ」

と凄《すご》んだが、それでも源爺は真顔《まがお》を崩さない。景を真《ま》っ直《す》ぐ見つめ、

「めっそうもござりませぬ。恐れながら姫様は尋常の面《おもて》にはおわしませぬ」

「分かってるよ」

景はうんざりしたように言った。

源爺は、景の返事の意味を汲《く》み取り、頭を振ると、

「左様な意ではござりませぬ。姫様はまるで南蛮人《なんばんじん》のごとき面をなされてございまする」

「南蛮？」

景は顔を顰《しか》めた。

南蛮人とはポルトガル、スペインなど黒髪の者が多い南ヨーロッパの西洋人のことである。これに対して江戸期になって日本に来たオランダ、イギリス人は、その特徴から紅毛人《こうもうじん》と呼ばれた。

南蛮人が日本の地を初めて踏んだのは、鉄砲の伝来と時を同じくする。ポルトガル人が種子島《たねがしま》に流れ着いた時だ。

鉄砲伝来の一五四三年から三十年以上が経《た》ったこの時代、すでにポルトガルやスペインの商船が次々に日本に押し寄せ、能島村上の海域も通過している。従って景も、南蛮人を何度か目にしたことがあった。

だが景には、南蛮人のごとき面をしているという自覚はない。確かに髪が黒い者もいて、たまに女も乗っていることがあったが、自分と似ていると思ったことはなかった。

「南蛮の奴って、こんな顔だったか？」

「左様にござりまする。その高き鼻、大きく見開いた眼、長き頸《くび》と手足、小さき頭、ことごとく南蛮人の持つものにござりまする」

「でもこんなに黒くはないだろう」

景は顔を突き出してみせる。

「肌の黒き者もまたおりまする」

「へえ」

と返事をしたが、面白くもなんともない。南蛮人に似ていると言われ、むしろ侮《あなど》られたような思いがした。そもそも美しいという話はどこへ行ったのだ。

「数年前の話にござりまするが、わしは夫役《ぶやく》で御領主様に率いられ、泉州《せんしゅう》の堺《さかい》に参ったことがござりまする。御存知の通り、堺は南蛮人どもが集まる地にござりまする」

「知ってるよ。だからどうした」

景は、苛々《いらいら》しながら先を促した。

泉州（現在の大阪府南西部）と摂州《せっしゅう》（同北部）の境界に位置する堺は、この時期、南蛮のほか中国、朝鮮、東南アジアの商船が行き来し、一万戸以上の家屋が建ち並ぶ国際港都であった。西に難波海、他の三方を水堀によって守られ、城郭のような体《てい》を成し、後に「東洋のヴェニス」と称された。かつては、会合衆《えごうしゅう》と呼ばれる有力商人たちによって自治運営され殷賑《いんしん》を極めたが、この八年前に織田信長に押さえられ、自治権を奪われた。しかし、貿易拠点としての機能は維持され、国際港都であり続けている。

「なれば、堺を擁する泉州の者どもはすでに南蛮人どもに慣れ、彼《か》の国々の女子を美しいと思う者も多うございまする」

源爺は多少、話を膨《ふく》らませて言い切った。

「へえ、そうなんだ」

景は平静を装《よそお》ったが、心中はそれどころではない。

（ほんとかよっ）

大いに食い付いている。そんな夢のような国がこの世にあるのか。

源爺が言ったことは、決して嘘ではない。

この時代の日本人の南蛮人に対する拒否反応は、ルイス・フロイスが記した『日本史』に詳しい。三十年近くも日本に滞在し、信長や秀吉とも会った宣教師の著作だが、キリスト教を日本に布教する労苦を強調する余り、過激に記した嫌いがありそうだ。

これに対して、同じイエズス会のポルトガル人通訳で、同じく三十年以上、日本に滞在したジョアン・ロドリーゲスの手になる『日本教会史』は、少々様子が違う。

「日本人は、異国人には多大の歓待と好意を示し、異国人がこの国に入って来るのにまかせてまったく安心している」

とあり、中国、朝鮮の者たちとはまるで逆だと、驚嘆をもって記している。ちなみに、ロドリーゲスもまた、秀吉や家康といった天下人と対面した。

「わしも泉州の者のごとく、彼の者どもの面を美しいと思う一人にござりまする。それゆえ、姫様も美しいと申したのでござりまする」

源爺が最後まで神妙な顔を続け、そう話を締めくくったときには、景の心は浮き立っていた。それでも、肝心な確認を忘れる女ではなかった。見目麗しいと思うのが、この爺のような百姓や町人では意味がない。

「泉州に海賊はいるのか」

何気ない調子で訊《き》いた。

「おりまする」

源爺は明言したものの、そこまでは知らない。ここは勢いに任せた。

「海賊いるんだ。へえ」

景の白々しい返事を聞き、焦っていたのは弟の景親だ。

(これは、まずい)

泉州と大坂本願寺のある摂州は、隣り合っている。現代ではそのほとんどが大阪府に含まれるが、とりわけ大坂本願寺と堺は三里と離れていない。いま姉は、泉州に海賊がいるかと訊いた。そうした以上、考えは一つしかない。

（行く気だ）

無言で姉の顔を凝視していると、留吉が余計な口を挟んでくる。

「姉ちゃんが上乗りするか、大坂まで」

「しつこいなあ、お前たちも」

景は迷惑そうな顔で返事した。

（絶対行く気だ、大坂）

景親は愕然《がくぜん》とした。姉にとって桃源郷《とうげんきょう》にも等しいところである。他の誰かに命ずるはずがない。自ら行くつもりだ。

案の定、姉は留吉に「行こうよ、姉ちゃん」と促され、

「しょうがないな、行ってやろうか」

と、うずうずと笑みを洩《も》らしながら話に乗っている。門徒たちが安堵《あんど》のどよめきを発するのに応じて、「本当しつこいんだから、お前らは」と、恩着せがましく付け加えるのも忘れない。

「姉者、駄目だって」

景親はたまらず止めた。が、弟の諫止《かんし》など後押しになりこそすれ、この姉を止める効果はない。弟の声を歯牙《しが》にもかけず、

「景親、こいつらの廻船はいずれの浜にある」

と訊いた。目的が目的だけにすごい気迫だ。景親は気圧《けお》され、

「西の浜」

と明かしてしまった。廻船は能島城の主要な船着場である西の浜に停泊していた。

「ならば景親、こいつらを連れて廻船に乗せ、東の武者走《むしゃばし》りまで船をまわせ。オレはそこで待つ」

景はそう命じると、踵《きびす》を返してさっさと戸口に向かった。西の浜を避け、目立たぬ反対側の武者走りから廻船に乗るつもりである。

「また兄者に叱《しか》られるからな」

景親は最後の手段を使って脅しにかかった。景は足を止め、くるりと振り返ると巨眼をぎらつかせて凄《すご》んだ。

「おい景親、お前がなんとかしろ。オレのおらんのを隠し通すのだ」

大坂に行くとなれば、往復で二十日近くはかかるはずだ。その間、兄の元吉に姉の

不在を悟られぬようにするのは、いくら何でも無理だ。

「兄者が相手じゃぞ。すぐにばれるって」

「ばれてひどい目を見るのはお前だけどな」

景は意地悪げに笑うと、

「急げ。潮《しお》が変わるぞ」

門徒たちに言って戸に手を掛けたが、急に立ち止まった。広間の方から廊下を渡ってくる足音が聞こえてくる。足音は複数あった。

「兄者じゃ」

景は眉間《みけん》に皺《しわ》を寄せた。父の武吉もいるはずだ。やたらとうるさい足音は吉継伯父のものに違いない。

一同が息を潜めて足音が過ぎるのを待つ間、景親は景を思い止《とど》まらせようと三たび試みた。

「兵を数人でも引き連れて行けば、たちまち兄者にばれるぞ。どうする気じゃ」

「なに、一人で行くさ」

景は不敵に笑って、相手にしない。

「水夫はどうする。櫓《ろ》を漕《こ》ぐ者がいないじゃないか」

「こいつらに仕込めばいいさ」

景が門徒たちを見返ると、百姓たちは力強くうなずいた。

「ちっ」

と景親が舌を打った頃には、足音は通り過ぎ、早くも聞こえなくなっている。それでも暫《しば》し待った後、

「それっ」

景は小さく叫ぶや部屋を飛び出した。景に従い、門徒どもも争うように部屋を駆け出ていく。

「ああ、もう」

景親も追わざるを得ない。慌てて門徒たちに続いた。

本丸屋形を出ると二手に分かれた。景は東の武者走りへ駆け下り、門徒を連れた景親は、西の浜に停泊した廻船へと急いだ。

19

縁談を蹴《け》った児《こ》玉就英《だまなりひで》と、それを追った乃《の》美《み》宗勝《むねかつ》は、西の浜の武者走りにいた。出

航の用意の整ったそれぞれの関船《せきぶね》に乗り込むところであった。

二人の傍では、因島《いんのしま》の村上吉充《よしみつ》が何度も頭を下げている。先ほど、武吉《たけよし》らに対して見せていた気楽な態度は再び影を潜め、平身低頭の有り様である。

「申し訳ございませぬ。武吉めには某《それがし》からきつう言い聞かせておきますゆえ」

「いらぬことじゃ」

就英が突き離す。その横で、宗勝がふいに口を開いた。

「主家《しゅけ》を持たぬというは、気ままなものでござるな」

「は？」

吉充は思わず宗勝の顔を見上げた。取りようによっては、武吉への皮肉とも取れる言葉である。だが、宗勝は目を細め、心底懐《なつ》かしげな顔でいた。

「我ら乃美家も、毛利家に臣従するまでは、気ままなものでござったわ」

以前も少し触れたが、乃美家は、主家である小早川《こばやかわ》家とは縁戚《えんせき》である。この小早川家に三男、隆景《たかかげ》を養子に送り込み、乗っ取ったのが先代の毛利元就であった。宗勝二十三歳のときである。

それ以降の乃美家は、随分と趣《おもむき》が変わった。主家の小早川家が毛利家の分家となったことで、乃美家もまた毛利家の意向をもろに受ける立場になったのだ。主人の小早川隆景に対して遠慮のない口を利《き》く宗勝も、毛利家の威勢を背景とするこの主人に肝心なところで歯向かうことはなかった。乃美家の家臣は絶えず隆景の顔色を窺《うかが》い、戦々恐々とする始末であった。

かといって、宗勝は小早川家の当主、隆景の器量を認めていないわけではない。むしろその英明さを大いに買っていた。一見、不躾《ぶしつけ》で隔意ない態度で隆景に臨むのも、主人への信頼があればこそであった。だが、それでも、小早川家が毛利家に乗っ取られるまで乃美家に香っていた、一種独立した、気ままな家風を懐かしむ思いはある。

その思いは、毛利家の配下に入った因島村上家の当主、吉充にも理解できた。常ならぬ真顔を宗勝に向け、目だけでうなずいたが、二人よりも若い就英は違う。

この男が物心付いたときには、毛利家は日の出の勢いであり、児玉家が毛利家の家臣であることに何の不満もない。それゆえ、村上武吉に羨望《せんぼう》の眼差《まなざ》しを向けた物言いが癇《かん》に障《さわ》った。

「主家を持たぬ海賊など、早晩潰《つぶ》れるわ」

吐き捨てると、就英は関船に掛かった梯子《はしご》を上りにかかった。宗勝と吉充の二人は、黙してその後ろ姿を見送るほかない。就英の言葉に異論を挟む余地はなかった。

戦国の世を制する覇者の候補は数家に絞られ、織田家をはじめ毛利家ほか複数の国々を手中に収めた戦国の大大名を残すばかりとなっている。乃美や因島村上といった小勢力は、どこかの大勢力に属さぬ限り、自家の存続は図れない。

宗勝が毛利家に乗っ取られた小早川家の家臣に甘んじ、吉充が武吉のごとき独立を捨てて毛利家に臣従したのも、理由はこれに尽きる。自家を存続させるためには、ひたすら頭を下げ続けるしかなかった。

小早川隆景が、大坂本願寺に兵糧を送るか否《いな》かで懊悩《おうのう》したのもこのためだ。自家を存続できるかどうかの瀬戸際《せとぎわ》で、本願寺を救うことは二の次三の次で、いわばどうでもよかった。

こういう情勢の中、村上武吉が独立を保ち、あらゆる大勢力に臣従しないのは、あまりに無謀であった。いかに日本一の海賊といえども、毛利家が総力をあげて攻めかかれば、存続も危うい。だがそれだけに、その颯爽《さっそう》たる在りように羨望と畏敬《いけい》の念を禁じ得なかった。

宗勝もそんな男の一人だ。船上の人となった就英から目を逸《そ》らし、吉充に向かって微笑《ほほえ》んだ。

「それでもやはり、村上武吉とは大した男よ」

宗勝の鼻の左脇《わき》についた刀傷が歪《ゆが》んだ。

児玉家の関船から、「帆を張れ」と命ずる就英の大声が聞こえてくる。宗勝は吉充に別れを告げ、自らの関船へと向かった。

就英の大声を聞いて、元吉《もとよし》は片頰であざ笑った。本丸屋形を出た元吉は、父の武吉と並んだ来島《くるしま》の吉継《よしつぐ》の脇に控え、山頂の本丸から西の浜を見下ろしていた。

(物知らずめ)

心中で小さく罵《ののし》ると、

「帆は張るではなく、上《あ》ぐると申すのだ。毛利家は何も学んでおりませぬな」

動き始めた毛利家の関船二艘《そう》を目で示しつつ、海賊の古豪二人に同意を求めた。

「味方の船の帆を揚《あ》ぐるをば、あぐると云《いう》。又下《さげ》るをばおろすと云」

能島《のしま》村上家の軍書『能嶋家傳』によれば、軍船で使う言葉には細かい規定があった。帆は「上ぐる」「おろす」と言い、敵の船が帆を上げるのは「引く」、下げるのを「引き下げる」と言わなければならなかった。「引く」というのは、帆柱の天辺に付けた「蟬《せみ》」と呼ばれる滑車を利用し、綱を「引く」ことによって帆が上がるからで、敵が「退く(退却)」に掛けてあるのは自明のことだ。

軍書に「帆を張る」という下知はない。元吉が馬鹿《ばか》にしたのは、このことであった。

『能嶋家傳』にはこのほか、味方の軍勢の備えを「一手」「二手」、敵のそれを「一切れ」「二切れ」と呼ぶことが定められ、敵の軍勢が「分断」されて敗北するのを暗示している。当時の武将が好んだ縁起《げん》かつぎのひとつだが、わずらわしいことこの上ない。元吉は、こういう細かな軍書の規定をいちいち暗記し、かつ家中で徹底させていた。

能島村上の家臣に、秘伝の軍書を目にする機会はない。従って、言葉の規定など知らなかった。それを元吉は、こまごまと叱り付けつつ家臣に覚えさせるという執拗《しつよう》さであった。

武吉は元吉のあげつらう声を耳にすると、内心困惑した。

戦《いくさ》においては、元吉のごとき細やかさや厳しさは必要である。

案ずるのは別なことだ。

「元吉、生真面目《きまじめ》は戦だけにせえ。家臣には平素は、緩《ゆる》やかに当たるが当主の心得ぞ」

そう諭した。

元吉はあまりに細かかった。家臣に対しては普段から厳しく、当主が示すべき鷹揚《おうよう》さがない。こういう当主の下では家臣たちが硬直し、急な事態に対応出来ず、また不満が不測のときに噴き出す怖《おそ》れがある。

　もっとも元吉にも言い分があった。

（父上は、わしの置かれた立場を分かっておらぬ）

　能島村上家の当主にして三島《さんとう》村上の筆頭、村上武吉は家臣たちにとってほとんど神であった。しかも、その威光は実戦によって裏打ちされており、揺るぎなく彼らの胸に刻み込まれている。

（父上だからこそ、鷹揚《おうよう》にも構えておられるのだ）

　父の跡を継ぐのが、神ならぬ人であれば、到底無理な話であった。ましてや元吉はこのとき、まだ二十三歳である。実戦経験も乏しく、年齢が醸《かも》す重々しさも身にまといようがない。となれば、元吉が家臣を統《す》べる術は、人徳や将器などといった目に見えぬものでなく、軍書にある決まり事や正論以外になかった。

「父上のごとく能島村上を独り立ちさせ続けるためには、わしは生真面目になるほかありませぬ」

　悲痛ともいえる声音で、元吉は訴えた。

　だが、武吉は嫡男《ちゃくなん》の心を知ってか知らずか、

「それが生真面目だというのだ」

と笑う。

元吉は憮然《ぶぜん》と口をつぐんだ。

「武吉、どういうつもりじゃ」

だしぬけに吉継が、武吉に首をねじ向け、怒りを爆発させた。

「何やら怒らせてしもうたな」

武吉はおどけた調子で言った。

吉継は、武吉のふざけた態度に一瞬、唖然《あぜん》としたが、再び怒鳴った。

「おのれ、まさか織田家に付くつもりではあるまいな」

毛利家の使者をあれほど怒らせて帰したのである。五年前のごとく毛利家が攻め寄せ、三島村上も敵味方に分かれる事態になるかも知れない。それがこうも平然としていられるのは、すでに織田家の加勢を取りつけているからではないのか。

だが、武吉は、

「いや、付くなら毛利さ」

と軽々と言う。

「よいか吉継。領国の関所を取り払う織田家が天下を取れば、我が海の関はひと溜《たま》りもない。ならば緩やかに国を治める毛利に付くが得策さ」

信長が、その手中に収めた領国の一部で関所を撤廃し、人と物の移動を促すことで経済を活発化させたのはよく知られている。この画期的な政策は宣教師のルイス・フロイスも瞠目《どうもく》し、『日本史』でも驚きをもって書き記されている。

仮に信長が天下を取り、この政策を全国で断行すれば、通行税である帆別銭《ほべちせん》を主たる収入源とする能島村上は、たちまち干上《ひあ》がる。一方、毛利家は違う。毛利家の配下に入った因島村上家は依然、海の関を維持し、帆別銭を徴収し続けている。毛利家は海賊の生業《なりわい》について寛容であった。

両者を比べれば、能島村上は毛利家を守り立て、織田家の伸張を是が非にでも喰い止めなければならない。武吉が言ったのはこのことだった。

そのくせ武吉は、景《きょう》の輿入《こしい》れという毛利家を逆撫でするような条件を出した。まるで挑発か、敵対しているみたいではないか。

「何ゆえじゃ」

吉継は見た目の通り、単純で一本気である。武吉の物言いに困惑していた。

「わしは阿呆《あほう》ゆえ分からぬ。言え、武吉」

武吉は飄然《ひょうぜん》とした態度を変えようとはしない。

「あの通りさ。景の奴が海賊家に輿入れしたがっておってな。望みを叶《かな》えてやろうと思うたまでよ」

困ったような可笑《おか》しいような、そんな声音で答えた。

(あり得ぬ)

元吉は無言で疑問を呈した。

この嫡男も、武吉の真意を聞かされてはいないが、どう考えても、娘を嫁にやるために、毛利家を敵に廻すかもしれぬ危ない橋を渡るとは思えない。

(到底、吉継伯父がこの返答で納得するはずがない)

そう案じながら吉継を見ると、不思議なことに吉継は「そうか」と大真面目にうなずいていた。

(嘘だろ)

元吉はあっけにとられたが、これは父、武吉に対する理解不足というものであった。

武吉はなかなか腹を明かさず、言葉を発すれば人を煙に巻くかのようであったが、口にした言葉に決して嘘はなかった。人は後に、武吉の行動を目にして、とぼけたような言葉が終始一貫していたことを知るのである。

旧《ふる》い付き合いの吉継は、そういう武吉を熟知している。その言葉を疑おうとしなかった。

「武吉、ほとほと景の奴に甘いと見えるわ」

景の輿入れこそ一番の目的である。吉継にとって余りに馬鹿げたことだが、そう理解した。

とはいえ、毛利家がどう出るかは別問題である。

「付くなら毛利だと言うが、斯様《かよう》な条件を出せば、能島村上が断ったと取られても一向に不思議はないぞ」

吉継はそう言うと、厳しい顔で再び武吉に迫り、

「武吉、おのれはまたも毛利家を敵に廻したやも知れぬのだぞ。毛利家が攻めるとなれば、因島はもとより我ら来島《くるしま》村上もおのれを攻める」

すると武吉は眉を上げ、

「鳥坂《とさか》合戦か」

と、小さく言った。

吉継が、三島村上の結束を破ってでも毛利に味方する理由がこの合戦にあった。

鳥坂合戦は、伊予国大洲《いよのくにおおず》城（愛媛県大洲市）を本拠とする宇都宮家と、伊予国守護で湯築《ゆづき》城（愛媛県松山市）を本城とする河野《こうの》家との諍《いさか》いに端を発した戦である。いまから八年前の永禄《えいろく》十一年（一五六八年）に起こり、伊予国でも一、二を争う大合戦で

あった。

河野家は、来島村上家の主家である。この戦の際、吉継も河野方として参戦し、守備していたのが鳥坂城（愛媛県西予市）であった。これを四国の諸将を味方につけた宇都宮方は、一万余の軍勢で攻め立てた。

籠城《ろうじょう》戦に追い込まれた吉継は苦戦を強いられた。見かねた河野家は毛利家に救援を要請、毛利家は快諾し、その先鋒《せんぽう》として乃美宗勝を投入した。

「乃美兵部《ひょうぶ》（宗勝のこと）ト手合仕《てあいつかまつり》、河内（吉継のこと）城中より突出《とっしゅつ》散々ニ切立《きりたて》候《そうろう》」

『武家万代記』によると、吉継は救援に来た宗勝と息を合わせて城を打ち出《い》で、鳥坂城を包囲する宇都宮方の兵を退け、合戦に勝利したという。

河野家は、毛利家の加勢を多とした。この度の大坂本願寺への兵糧《ひょうろう》入れに、河野家が家臣の来島村上家を貸すのは、このことがあったからだ。

吉継は、合戦の場で直接命を救われた当事者である。一本気な男だけに宗勝の恩を忘れなかった。吉継が毛利家に従おうとするのは、主家の河野家が毛利家に好《よしみ》を通じているからというよりも、この個人的な恩義に報いようとの想《おも》いの方がよほど強かった。

「鳥坂合戦か」と訊《き》かれた吉継は、ぐいとうなずいた。

「おのれか宗勝殿のいずれかを取れと申すのなら、わしは宗勝殿を取る」

そう言い切った。

「律儀《りちぎ》なことよ」

武吉は、からかうように笑うと、

「だがな」

と続け、おかしなことを告げた。

「あの条件で、宗勝の主、小早川隆景は安堵しておるかも知れんぞ」

隆景と同年の武吉には、その胸の内が手に取るように分かっている。景の輿入れを条件にしたのは掛け値なしのことだったが、隆景がそれを拒絶と取り、ほっと胸を撫《な》で下ろしたとしても不思議はない。

――武吉よ、毛利の依頼を断れ。

隆景は、安芸郡山城での衆議の席上、心中でそう念じていた。

武吉の隆起した前額部の中では、まるで安芸郡山城での衆議を俯瞰《ふかん》しているかのごとく、隆景の置かれた状況が投影されている。今後、隆景が取るであろう非情な策略までもが、冷え冷えとした画となって像を結んでいた。

この像を描けるのは武吉しかいない。吉継はもちろん、息子の元吉でさえも、この小兵の言う意味を理解できなかった。

「隆景殿が安堵しておるとは、いかなることにござる」

元吉は問うたが、武吉がこういった直截《ちょくせつ》の問いに答えることはほとんどない。

「わしはな」

と顔を上げると、かなたに消えていく毛利家の船団を眺めつつ、問いとは関係のない思いを口にした。

「自家のためだけに毛利へ味方するのが、何やらつまらぬことのような気がしてきたのだ」

「つまらぬ?」

元吉はわずかに色をなした。謹厳実直が信条の男である。自家のためにと腐心することが、つまらぬとはどういうことか。

「父上は能島村上がどうなってもよいと申されるのか」

と詰め寄った。

「よくはない」

武吉は、息子の浅慮に呆《あき》れたようなため息をついた。目をつぶり、

「だが、面白くもない」

ぽつりと言った。

武吉は海賊の背負った宿命について思っていた。

海賊は乱世でのみ生存を許された種族なのである。

遠くは平安末期、公家《くげ》政権が衰微し、武家が台頭を始めた時代、海賊たちは日本の各所で跋扈《ばっこ》し、公家たちを震撼させた。近くは南北朝時代、日本全体が北朝と南朝に分かれて戦っていたとき、海賊たちは再び息を吹き返し、隆盛を極めた。村上海賊の先祖とされる村上義弘が南朝方として戦い、勇名を馳《は》せたのもこの時代だ。

そしていまの戦国時代である。海賊という乱世のあだ花が咲く何度目かの時代であった。歴史の習い通り、村上海賊もまた、大輪の花を咲かせた。乱世に乗じて次々と独自の関所と法規を設け、周辺の領主たちに黙認させ、栄華を極めたのである。

だが、戦国乱世も終盤だと武吉は見ている。毛利家や織田家のごとき戦国の大大名が生まれた以上、いずれはその誰かが天下を一統とするだろう。となれば、これも歴史の習いで村上海賊は滅びるはずである。

村上海賊が栄華を保つためには、乱世を長引かせるしかない。

武吉は、その鍵《かぎ》を毛利家が握っていると睨《にら》んでいた。毛利家は天下を狙《ねら》っていない。

先代の毛利元就は息子たちの力量を危ぶみ、「天下に望みを掛くべからず」と遺言している。天下を狙わぬ毛利家を後押しして織田家と敵対させ、天下を定まらせず、戦国乱世を継続することが村上海賊にとって利があるのは明らかだ。

だが武吉は、この延命策のごとき振る舞いに嫌気が差していた。乱世が未来永劫《えいごう》続くことはない。遠からず天下は定まるはずだ。少しでも長く自家を存続させようと汲々《きゅうきゅう》とすることが、何やら厭《いと》わしいものにも思えていた。

「それでもまあ、面白うなくとも、景の奴が好いた男に輿入れできるのなら、毛利のために軍船を発して味方しようと思うたのさ」

(父上は何を考えておるのやら)

元吉は呆れたが、一方で景の輿入れが父の本当の狙いだとようやく呑《の》み込めてきた。その脇で、吉継がこの男には珍しく声を落として訊いた。

「武吉、おのれは鬼手《きしゅ》を他家に渡す気なのか」

(きしゅ?)

元吉には聞き慣れぬ言葉である。眉を微かに動かし反応した。

(何のことだ)

20

元吉《もとよし》は「きしゅ」の音に合致する言葉を思い浮かべたが、知り得る限りではどれもそぐわぬものばかりである。心中、首を傾《かし》げていると、

「吉継《よしつぐ》」

鋭くひと言放った武吉が、毛玉の男を目で制していた。感情をなかなか表に出さぬ武吉《たけよし》には珍しく、厳しさを露《あら》わにした眼差《まなざ》しであった。

この小兵の一喝には、岩のような軀《からだ》の吉継も黙らざるを得ない。

武吉は、子供でもなだめるように吉継に言った。

「就英《なりひで》の返答をおのれも聞いたであろう。案ずるな」

（――就英の返答）

元吉は広間でのやり取りを思い返したが、それらしきものはない。就英の返答といえば、独り身であることと、軍書に関すること、そして妹の輿入れを峻拒《しゅんきょ》したことぐらいだ。

（いかなる秘事か）

探るような目付きでいた元吉が問い掛けようとすると、武吉が機先を制した。

「元吉、三島《さんとう》村上の当主のみ知れば良いことじゃ。おのれはまだ知らずとも良い」

こうなれば、質《ただ》したとて答える父ではない。不承不承《ふしょうぶしょう》、問いを胸に収めた。

そこに一方から景親《かげちか》が、とぼとぼとやってきた。三人の脇に控えた弟を元吉が横目で窺えば、景親は伯方《はかた》島の島陰に消えんとする毛利の船団に目をやりつつも、何やら居心地が悪そうである。何か言わねばならぬことでもあるかのように、思わせ振りな素振りさえ見せていた。

「景か《きょう》」

「いっ」

景親は肩をすくめた。

元吉は景親よりも背が低い。弟を見上げるその顔は、黒目が上に寄った三白眼《さんぱくがん》が、隆起した額の下で光る、世にも恐ろしげなものであった。

「姉者が」

景親は、たちまち白状に掛かった。

「廻船に乗り、難波《なにわ》へと向かってござりまする」

「難波だと。何ゆえじゃ」

声を荒らげる元吉に、景親は、

「いや何と言うか」

と要領を得ない。まさか男探しに難波に行ったと、この謹直な兄に言えるものではない。

「門徒どもが乗った廻船一艘が大坂本願寺に行きたいというので、上乗《うわの》りに参ったのでござりまする」

とうわべの理由を明かしたが、それがまずかった。

「大坂本願寺じゃと！」

元吉は目を剝《む》いて叫んだ。

「景親、なぜ止めなんだ。追え、すぐ追え。摑《つか》まえて連れ戻せ」

「わしが？」

「行けっ」

「はいっ」

景親は弾《はじ》かれたように背を正し、一方へと駆け出した。

吉継も、「景の奴《やつ》、とんだことを」と目を怒らせている。髯《ひげ》をいじりながら、景親の背に大声で釘《くぎ》を刺した。

「兵どもには景のことは伏せて追うんじゃぞ」

景親がつんのめるように足を止めて振り返ると、武吉が吉継を静めた。

「大丈夫だ。戦に行ったのではない」

(父上は何を落ち着きはらっておる)

元吉は不審に思ったが、いまはそれどころではない。突っ立ったままの景親を、

「いいから、さっさと行け」

と追っ払った。

(これは大変なことになる)

城道を駆け下っていく景親から目を外すと、元吉は父に訴えた。

「景めが難波にたどり着き、織田方に見付かれば、我らは門徒に味方するものと見られますぞ」

毛利に味方する、しないの最終的な決断もせぬうちに、そんな事態になるのは避けたい。

「それはない」

吉継が代わって答えた。

「上乗りは海賊衆の家業じゃ。たかが廻船一艘ならば、織田方とて敵とも味方とも思

わぬわ」

そうは言うものの、どこか深刻な様子である。

（ならば、吉継伯父は何を案ずることがある）

元吉は再び疑念を抱いた。

吉継は、景の難波行きについて何か別のことを案じている。

（それは何だ）

思いを巡らせたとき、突如、哄笑《こうしょう》が炸裂《さくれつ》した。

悍婦《かんぷ》を野放しにする親馬鹿が放っている。

「景め、相も変わらずわしを楽しませてくれる」

武吉の笑いは止まらない。

「ともあれ、これで五年前にはできなんだことができるわ」

と踵《きびす》を返して、東方を望む本丸の端へと歩を進めていった。

「それはいかなることで」

元吉は父を追った。吉継も返答を求めて二人に従った。

「戦を見せることよ。大坂本願寺がすでに包囲されているとなれば、戦の一つも起こるだろう」

歩きながら武吉は答えた。

五年前といえば、能島《のしま》村上家と毛利家が戦沙汰《いくさざた》になったときである。武吉は万一に備えて当時、十五歳の景を対岸の伊予大島《いよおおしま》にある支城へと避難させていた。このため、景は戦に出たいといいながら、戦そのものを見たことがない。

「景めは、戦を華やかなものじゃと思うているのさ」

と武吉は言う。

元吉も、そんな景の心の置き所を知っている。

「あいつは見るのだ、本物の戦を」

武吉がそう言ったところで本丸の端に着いた。

東方の海を望めば、荒神《こうじん》瀬戸を挟んで隣接する鵜島《うしま》の島影の先に、燧灘《ひうちなだ》と呼ばれる内海《うちうみ》が広がっていた。その広範な海域では、何艘もの廻船が行き来し、もはやどれが景の乗った船か判別のしようもない。

「景親の奴、この分では難波まで景めに追い付けぬな」

武吉は言うと、またも愉快げに大笑を放った。

燧灘を東進する廻船の甲板で、景は上機嫌でいた。

何しろ、自分が美女とされる夢のごとき国へ行くのだ。幸い、景親を手下に使って兄に見付かることもなく能島を抜け出せた。二十人近くの門徒たちも快調に櫓《ろ》を漕いでいる。

「お、お前ら筋《すじ》がいいな」

意気揚々と門徒らの背に声をかけた。

櫓を漕ぐ門徒たちは、舷側《げんそく》で海に向かって立ち並び、ちょうど餅《もち》でもこねるような動きをしていた。

「櫓腕《ろうで》」と呼ばれる力点に力を加えている。こうすることで海に浸《つか》った「櫓脚《ろあし》」と呼称する作用点は、水を切るように八の字を描き、船に推進力が生じる。櫓脚がこういう複雑な動きをするのは、櫓腕と櫓脚が分離されており、「入子《いれこ》」という関節でつながっているからで、こんな構造である以上、漕ぐのにも技量がいるのだが、門徒たちは飲み込みが早かった。

源爺《げんじい》は海に向かって櫓腕を前後させたまま、うれしそうに振り向いた。

「いや、姫様のご指南《しなん》が良いのでござりまするよ」

と、お追従《ついしょう》を言ったがそうではない。源爺たちは、安芸高崎の百姓であって漁民ではないものの、湊が近くにあるせいで櫓の漕ぎ方を粗方は承知していたのだ。

もちろん、景はそんな事情はどうでもいい。

「指南か、そりゃそうだ」

真っ青な空を見上げて高笑いした。いま源爺が向けてくる眼差しは、思い焦《こ》がれた者に対するまぶしげなそれであった。泉州に行けば、こんな萎《しな》びた爺ではない、若さに溢《あふ》れる海賊たちが、この眼差しを向けてくるはずだ。

「帆を上げよ。じゃが櫓は漕ぎ続けよ。一刻も早う、大坂本願寺にたどり着くのだ」

歓喜に浮かれ、声も高らかに下知《げじ》を発した。

21

「なに、能島《のしま》村上の景姫《きょう》を就英《なりひで》に輿入れさせるが条件じゃと」

と重臣たちの集まる安芸郡山城の広間で叫ぶように言ったのは、小早川隆景《こばやかわたかかげ》である。

乃美宗勝《のみむねかつ》と児玉就英《こだま》が、能島を後にして二日後のことであった。

隆景は、復命する二人に驚きを隠せないかのように装《よそお》ったが、無論、心中はそれとは正反対である。

（うまくいった）

密《ひそ》かに瘦《や》せた拳《こぶし》を握りしめていた。

村上武吉《たけよし》は、五年前の戦を遺恨に思っているのか、素直に求めに応じず、実の娘を就英の嫁にもらえなどと無茶な注文をつけてきた。自ら偏諱《へんき》を与えた娘ゆえ、その後のこともそれとはなしに気にしていたが、景姫は途轍《とてつ》もない醜女《しこめ》で悍婦《かんぷ》に育ったらしい。となれば、輿入れのことは口実に過ぎず、武吉の真意は毛利家への加勢を断ることにあるに違いない。

隆景の兄である吉川元春《きっかわもとはる》も、景の悪評を耳にしている。解《げ》せぬ顔で腕を組むと、

「それは、こちらの頼みを断っているんだよな」

と交渉の始末を伝えた宗勝に訊《き》いた。

「いや、それが」

宗勝は頭の汗を拭《ぬぐ》って、

「大真面目なようでしてな」

「某《それがし》はすでに断ってござる」

宗勝の横で、膨《ふく》れっ面《つら》の就英が喚《わめ》いた。

聞けば、武吉の出した条件をその場で蹴《け》り、さっさと能島城を退出したと言う。

(ようやった就英)

　隆景は無言で若武者を褒《ほ》めた。これで武吉の真意がどうあれ、能島村上の加勢はないと見てよい。加勢を得るため、嫌がる就英をむりやり婿《むこ》に据えるほど、毛利家の家風は苛烈《かれつ》ではない。

（刻《とき》が稼げる）

　深く安堵《あんど》した。

　いまは待つことのみが戦略である。能島村上の加勢は、必要なら後でさらに好条件を持ちかけて獲得すればよい。何よりも、上杉謙信立つの確報を得るのが先だ。

「武吉めが、小賢《こざか》しきことを。五年前のごとく攻め、有無を言わさず加勢させるか」

　元春が苦い顔で言い放つが、隆景は異を唱えた。

「斯様《かよう》な真似《まね》をすれば、武吉をみすみす織田方へと走らせることになりますぞ。それどころか海戦となって彼らを敵にまわせば、わが方の勝利は覚束《おぼつか》ぬ」

　道理である。五年前もほとんど負け戦といって良かった。元春も、

「ちっ」

　と視線を床に落として黙ってしまった。重臣たちも同前である。

　隆景は、再び持論を展開する絶好の機会を得た。

「兄上。就英の身になれば無理もなかろう。能島の景姫は醜女の上、悍婦じゃと申す。

斯様な者を児玉家に入れれば、毛利にとっても害があるやも知れませぬ」

「ああ」

元春は目を上げ、納得の行かぬ様子でうなずいた。

(もはや兄者の反論はない)

隆景は勢い付いた。元春から重臣まで打ち眺めつつ、

「ここは上杉謙信めの去就《きょしゅう》を見極めてから動く、ということで良いのではござらんか」

「それまで大坂本願寺が持てばいいがな。謙信めが動くまで待ち、能島村上の加勢を取り付けた挙句、大坂が潰れておったでは取り返しがつかんぞ」

元春はぼやくが、勢いはない。隆景は、

「謙信が立つ前に大坂が潰れることあらば、何とか信長との交誼《こうぎ》を維持するまで」

と言い切った。

(能島の武吉殿がわざわざ隆景様の意向を尋ねたわけよ)

隆景の言葉を耳にしながら、心中で呻《うめ》いていたのは宗勝だ。

交渉の場で武吉は、「謙信立たずとも隆景も大坂本願寺に味方する意向か」と問うた。宗勝としては先の衆議で決したことであるから、隆景も持論を引っ込めたものと

思っていたが、そうではなかったらしい。武吉は、この隆景の執念深さを思っていたに違いない。

(武吉殿は、隆景様の意向を訊いた後、しきりに考えている風だったな)

とすると、武吉はやはり、隆景の今後の動向に思いを巡らせていたのか。

(一体、何を読んでいたのだ)

黙考するうち、広間の事態は意外な方向に進もうとしていた。重臣たちから打開策が示されないのを見た元春が、

「なら仕方がないな」

と肘《ひじ》を張り、両手を膝《ひざ》に荒々しく叩《たた》き付けるや、

「就英」

と大声で呼び掛けた。

「おのれは嫁を貰《もら》うに美醜を問うか」

挑むような目で就英を睨《にら》んだ。

(兄者はあれを持ち出す気か)

隆景はとっさに身構えた。

実を言うと、この元春の正室は、思わず見返してしまうほどの醜女なのであった。

『名将言行録』にはこんな逸話がおさめられている。

元春が吉川家の家督を継いだとき、父の毛利元就《もとなり》が重臣の一人を呼び、「誰かいい娘はいないか」と問うた。差し当たり心当たりがないと答えた重臣に、「まず元春の内意を聞いて参れ」と元就は命じたという。

後日、その重臣が元春の元に赴《おもむ》き、存念を尋ねたところ、元春は、

「熊谷兵庫助信直の娘がいい」

と即座に答えた。

重臣は愕然《がくぜん》とした。なぜなら信直の娘は家中でも醜女で有名だったのだ。ひょっとして元春がそれを知らぬのかとも思い、

「しかし信直の娘は、世に又なき醜女じゃと聞いておりまするぞ」

と、女を評するに最悪の言葉を用いて教え、ついには元春の袖《そで》までつかみ、

「止《や》めなされ、かならず後悔なさる」

必死になって口説いた。

だが元春は平然と打ち笑い、

「まあ待て。わしが信直の娘を望むのは他でもない。醜女だと聞いておるからじゃ」

と言うと、その理由を語って聞かせた。

「信直の娘は甚だ醜いがゆえ、これを娶《めと》る者などおらぬ。父の嘆きは如何《いか》ばかりぞ。これをわしが娶ってみよ。信直は必ずわしに感謝し、戦においても身命を惜しまぬだろう。いま中国（地方）に信直ほどの侍大将はおらぬ。これを伴い先鋒《せんぽう》を行けば、いかなる堅陣とて破れぬものはないわ」

戦本位の元春らしい心の砕き方である。重臣は大いに感心したという。

「美醜を問うのか」

と訊かれた就英も、元春の逸話を聞き及んでいる。それどころか、幼い頃から繰り返し聞かされてきた話であった。

というのも、『名将言行録』にある、毛利元就に命じられて元春に存念を尋ねに行った重臣は児玉就忠《なりただ》といい、就英の伯父であった。元春の言に大感服したこの伯父は、甥《おい》の就英にも、ことあるごとに元春の美談を吹き込んだ。

「侍が嫁をもらうに美醜は問わぬ」

と就英が能島城で景に言い立てたのは、このことがあったからだ。

就英も男である。嫁になる女の美醜を気にせぬはずがない。「美醜を問わぬ」とは、この男の気概と見栄《みえ》が何とか言わせていたに過ぎない。

（元春様、いまそれを言うか）

　就英は心中で歯噛《はが》みした。答えれば、元春が次に何を言い出すかは明らかだ。だが、雄々《おお》しくも醜女を嫁にした元春に対して、言える返事は一つしかないではないか。

「美醜など、問いませぬ」

　声も高らかに言い放った。もちろん、心の内は瀑布《ばくふ》のごとき涙である。

　元春は就英の心底を見透かしたかのように、

「本当は問うんじゃないのか」

　と責めてくる。さっぱりした性格の元春には珍しく、ねちねちと訊き返す。

「問いませぬ」

　就英は、怒鳴るように繰り返した。

「うむ」

　言質《げんち》は取った、とでもいうように、元春は大きくうなずいた。次いで口にしたのは、就英が予想した通りのことである。

「なら、能島の景姫を嫁にもらえるな」

（やられた）

　と隆景は汗をかく思いでいた。このままでは、能島村上の加勢が叶い、毛利家は大坂本願寺にすぐさま兵糧入れに向かい、織田家と敵対することになる。ここは就英に助け舟を出さねばならない。

「兄者、斯様に無体《むたい》な」

とっさに叫んだとき、広間の様子が変わっていることに気付いた。

重臣たちが、就英に視線を集中させ、目で訴えていた。

――毛利家のため、その醜女で悍婦の景姫とやらをもらってくれ。

その意は当然、就英にも通じた。就英は目をつぶり、顔を上げるや、「もらいまする」と叫び上げた。

「能島村上の姫御前《ひめごぜ》をもらうことで毛利家が安泰となるならば、某《それがし》はあの醜女をもらいまする」

「よう申した」

元春は、はたと膝を打ってその決意を褒めた。重臣たちも過剰なほどに賞賛の声を上げ、ともに能島で交渉した宗勝は、安堵と感謝の意のこもった顔を就英に向けた。

（人の気も知らずにこの禿《はげ》は）

就英は、汗の引いた禿頭を目で罵《ののし》っていたが、苦し紛れの抵抗に出た。

「但《ただ》し」

重臣たちをぐるりと睨《ね》め回す。

「陸戦はいざ知らず、海戦では女子《おなご》は忌避すべきものにござりまする。されば能島の姫が向後《こうご》、軍書に反する行いに及びますれば、某は直ちにこれを反故《ほご》に致しまする」

戦はもちろん、海賊働きももってのほかだと付け加えた。

「左様、御心得いただきますよう。能島村上にも同様に申し伝えまする」

と言葉を結びながら、就英は、能島城の広間で村上武吉に何を求められていたか、初めて解《わか》ったつもりになっていた。

重臣たちは静まり返った。就英の条件は、将来、いやいますぐにも破られ、縁組はなしになるだろう。さっきまで口を極めて褒め称《たた》えていた重臣たちは、いずれも興醒《きょうざ》めしたかのような顔で就英を見詰めた。

だが、元春だけは「結構だ」と、あっさりとその条件を呑んだ。

元春にしてみれば、能島村上の加勢さえ得られれば、後々どうなろうとも構わない。戦場において一つの決断をすれば、目をつぶらざるを得ない障害の一つや二つは付いて廻る。武に生きるこの男にとっては、就英の出した条件など一顧《いっこ》だにする必要もない瑣末《さまつ》なことであった。

元春は当主の毛利輝元《てるもと》に向き直ると、居住まいを正して言上《ごんじょう》した。

「児玉就英、能島村上が娘、景姫を娶る旨《むね》、申し出てござりまする」

「重畳《ちょうじょう》」

輝元はいつもの通り、一言で評議をしめくくった。

（兄者め――）

重臣たちとともに頭を下げながら、隆景は心中で兄を詰《なじ》った。豪胆な兄らしい、荒っぽいが的《まと》を外《はず》さぬやり口である。到底、明晰《めいせき》すぎる隆景にできることではない。

（これで、能島村上の加勢は決まった）

となれば、上杉謙信を待つことなく兵糧入れは始まる。

（ならば最後の手段に出るほかない）

隆景は密かに、そして冷酷にその意を決した。

第一章

22

景《きょう》の乗った廻船《かいせん》は、瀬戸内海を照らす陽気な夏の日差しの下、快調に東へと航行を続けていた。

潮《しお》の流れは進行方向と同じ順潮で、帆を孕《はら》ます風もまた順風であった。甲板の景の気分も上々だ。

「櫓《ろ》はもういいや。者ども、打ち休め」

景が機嫌良く下知《げじ》を発すると、門徒たちは海中から櫓を引き抜き、力仕事を終えた後の屈託ない歓声を上げながら甲板に据え置かれた水桶《みずおけ》に殺到した。

留吉《とめきち》も櫓を甲板に引き上げたが、船端《ふなばた》の欄干《らんかん》に背をもたせ掛け、座り込んでいる。細い脛《すね》を抱えて、小さな膝小僧《ひざこぞう》を見詰めたまま黙然としていた。

(また、あれかよ)

景は留吉を見やり、ふんと鼻を鳴らした。

あれほど難波《なにわ》行きを望んでいた留吉は、能島《のしま》を出たその日から沈みがちになっていた。櫓《こ》を漕いでいる最中こそ懸命に働くものの、仕事がなくなればこんな様子になる。

原因は、源爺《げんじい》から事情を聞き、察しが付いていた。

「よう」

景は声を掛けると、留吉の横に腰を下ろした。

「船で絞め殺されたあの門徒、よう知った仲だったんだってな」

留吉は顔を上げたが、すぐに視線を戻してぼそりと言った。

「同じ講《こう》の中でも、わしと源爺にようしてくれた。阿弥陀《あみだ》様のことを教えてくれたのも、あいつだった」

「そうだったか」

景は、覚えず留吉の沈んだ様子に調子を合わせるところだったが、留吉は意外な言葉でそれを遮《さえぎ》った。

「だからって、わしは萎《しお》れてなんかおらんぞ」

強い調子でそう言うと、暗い気分を振り切るように続けた。

「死んだのは気の毒じゃが、あいつは阿弥陀様のお陰で浄土《じょうど》へと行ったんじゃから」

――死ぬのなんぞ恐《こわ》くはない。

そう留吉が、悪党たちを前にして言い放ったのは、この信仰があるからだ。

だが景は、

「浄土かよ」

と笑い飛ばした。

景に限らず、当時は、自他の命が現代とは比較にならぬほど軽く考えられていた。ゆえに戦《いくさ》に及べば自らの命など塵芥《ちりあくた》のごとく捨てて掛かったが、門徒たちのように浄土があるからと、あっさり死を受け容《い》れる境地にあったわけではない。景はむしろ死など蹴《け》り飛ばし、命ある限りこの世の面白さを味わい尽くすつもりでいた。

(浄土など、あればあったで儲《もう》けものだが、なけりゃないでそれまでのことさ)

こういう女ゆえ、留吉のごとき悟り澄ましたような物言いを耳にすると、茶々を入れたくなる。

「ならば留吉よ」

と景は眉《まゆ》を上げて、わざととぼけた顔をすると、

「萎れてなんかおらんと口では言うが、お前が能島を出てからしょんぼりしてんのは

どういうわけだ？　あの門徒を海に葬《ほうむ》ったからじゃねえのか」

能島を出たその日、留吉は見知った者の死と別れを目の当《ま》たりにして、衝撃を受けたのだろう。この小僧は浄土の存在を確信できず、死はまだ易々《やすやす》とは受け容れられないのではないか。そう見て取った景は、いたぶるように畳み掛ける。

「おかしいじゃないか。浄土に行ったって言うんなら、しょんぼりする必要ないじゃないか」

図星であった。留吉は、きっと顔を上げ、

「しょんぼりなどしとらんわい」

無理に声を張り上げた。

弟をいびり慣れた姉はしつこい。

「しょんぼりしてるよ、お前。してるしてる。しょんぼりしてる」

「しとらん！」

「してるって」

「しとらんわい」

留吉は怒鳴ると、目を潤《うる》ませ顔を伏せた。

（あら）

泣かせた。

一つしか年の違わない景親《かげちか》をいびるのは、まだ良いが、十歳になるかならないかの子供を、二十歳の大女がいじめ倒すのは見場の良いものではない。

水桶に集まっていた門徒たちが、柄杓《ひしゃく》の手を止め、景に非難の目を集中させてくる。源爺も呆《あき》れたような顔でいた。

「文句あんのか」

景はたじろぐ思いで門徒たちに凄《すご》んだ。横で顔を伏せたままでいる留吉を肘《ひじ》で突っ突き、

「お前も何だよ。男のくせに、びいびいびいびい」

叱《しか》るように言ったが、これは景が悪い。

というのも、死後、浄土に行けると信じているにもかかわらず、死にたくないと思う矛盾は、一向宗《いっこうしゅう》の宗祖、親鸞《しんらん》でさえ認めていることだった。

親鸞の直弟子《じきでし》、唯円《ゆいえん》が師の死後、師との対話を思い起こして記したとされる『歎異抄《たんにしょう》』にはこんな一節がある。ちなみに同書は、親鸞の死後、三十年ほどが経過して、その教えと「異」なる解釈や曲解が生まれたのを唯円が「歎《なげ》」いて書いたものだ。

あるとき、唯円は親鸞にこう問いを発したという。

「南無阿弥陀仏《なむあみだぶつ》の念仏を申しても、躍り上がりたくなるような歓喜の気持ちも全然湧《わ》いて来ませんし、早く浄土に行きたいという気持ちにもなりません。一体どういうことでしょう」

親鸞は正直極まりない男であったらしい。

「この親鸞もその疑問を感じていた。唯円、お前もそう思っていたのか」

死ねば極楽往生できると信じていながらも、やはり死に対しては動揺する凡夫《ぼんぷ》にすぎない自分を厳しく見定めていたのだ。

親鸞でさえこうである。まして小僧の留吉が、景の意地悪な問い掛けに答えられるはずがない。

「悪かったよ。いいかげん泣き止《や》めよ」

と景はうんざりしたようになだめるが、留吉はしくしくと声を洩《も》らすばかりで膝《ひざ》から顔を上げようとしない。仕方がないので、留吉の喜びそうなことを訊《き》いてやった。

「で、どうやったら行けるんだよ。その浄土へは」

留吉はようやく顔を上げた。だが、返事は「教えてやんない」と小憎《こにく》らしい。

景は思わず手が出そうになるのを堪《こら》え、

「教えろよ」

　と、小さく身体《からだ》をぶつけておどけた。無論、答えなどどうでもいい。

　留吉は空を見上げて考えている風だったが、おもむろに膝を正して座り直すと、

「信じるんじゃ」

　と言った。

「ん？」

「だから信じるんじゃ」

「それで？」

「それだけじゃ。阿弥陀様が浄土へ連れて行ってくださると信じて信じ切って、念仏申そうと思った途端に、浄土に行けることが決まるんじゃ」

『歎異抄』に同様のことが記されている。また、「念仏を唱えよう」という気持ちは自分で抱くものではなく、阿弥陀仏によって与えられるものとされ、これを「一念発起《いちねんほっき》」といった。この理屈で言うと、一念発起した人間はすでに浄土行きが約束されており、その約束のあとで南無阿弥陀仏の名号《みょうごう》を唱えることになる。つまり念仏は、極楽往生が叶《かな》えられた感謝の意を込めて唱えるものだと同書はいう。

「本当か？」

　景には到底信じがたい。ただ信じるだけで浄土へ行けるとは、うますぎる話ではな

いか。

「本当にそれだけか。善いことをしないと行けないとか何かあるだろう」

と留吉に顔を寄せた。だが留吉は、

「ない」

と断言する。

「阿弥陀様のお力をひたすらに信じておりさえすればいい」

一向宗の教えでは、浄土で生まれ変わる方法はただ一つで、ひたすら阿弥陀仏の救済力、すなわち「他力」を信じ、頼り切ることである。このため、生きている間に善行を積み、その成果として浄土に行こうとする努力をも否定する。こうした「自力」によって浄土に近付こうとすることは、裏を返せば、他力を信じ切る心に欠けていることになるからだ。

「弥陀の本願には、老少善悪のひとをえらばれず、ただ信心を要とすとしるべし」

『歎異抄』には、阿弥陀仏が人々を救済するのは、老いも若きも関係なく、善人悪人にさえ依《よ》るものでもない。ただ信心だけに依る、とある。

「そういうことじゃ」

生平可《なまはんか》ながら、このようなことを訥々《とつとつ》と話し終えた頃には、留吉もすっかり元気を取り戻し、鼻息まで荒くなっていた。

景は話の半分も理解できないながら、「ははあ」と感嘆の声を上げていた。年齢も善人悪人も関係なく、信心だけで天下の者どもを根こそぎ浄土へ連れて行こうなど、随分と気前のいい話ではないか。こういう豪気な話は大いに好むところである。

「なら浄土に行くには、何にもしなくていいわけだ」

「信じて念仏申す他はな」

と留吉は繰り返す。景は依然、感心の体《てい》で、

「信心だけでねえ。有難いもんだなあ」

「有難かろう。すると感謝の余り、念仏も唱えたくなる」

南無阿弥陀仏、と留吉は合掌して名号を唱え始めた。

そのとき、景は、留吉の話の中にある矛盾に気が付いた。念仏に熱中する留吉を突っ突き、そのことについて問うた。

「信じて念仏するだけで、浄土行きが決まるって言うならよ、別に大坂に行かなくても浄土へは行けるってことだ」

大坂本願寺を救援に行くという「自力」が何ら浄土行きの助けにならないのであれば、わざわざ大坂に馳《は》せ参じる必要はないではないか。なんでそんな面倒なことをす

るのか。

それでも留吉は一向に動ずることはなかった。

「確かにその通りじゃ」

と、深くうなずくと、

「大坂へ行こうが行くまいが、極楽往生するのはすでに決まっておる。わしらが大坂に行くのは、往生の道を開いてくださったお礼に参るためじゃ。決して自力で善行を積むために行くのではない」

一端《いっぱし》の大人のように説いた。

「なるほどねえ」

景は相槌《あいづち》を打ったが、そろそろ上の空になってきた。門徒の言うことはいちいち暑苦しい。辟易《へきえき》して、座したまま空を仰いだときである。空を切り裂くかのごとき法螺《ほら》貝《がい》の音が鳴り響いた。

(なんだ?)

眉根を寄せて、水桶のところの門徒たちを見やれば、強烈な高音にたちまち動揺し始めている。その中から源爺が、

「姫様!」

と、駆け寄ってきた。緊張の面持ちで、欄干《らんかん》に背をもたせた景の後ろを指差した。

「海賊衆にござりまする」

源爺から見える海上では、能島村上ほどの数ではないにしろ、二十艘《そう》近くの小早《こばや》が、櫓《ろ》を旋回させて真っすぐこちらに向かってきていた。

「いかがしなさる」

源爺が悲鳴のような声を上げるうち、海上からは、

「そこの廻船、止まれや！」

という海賊たちの荒々しい声が聞こえてきた。もう声が届く距離に迫っている。

23

「るっさいなあ」

甲板に座り込んだ景《きょう》からは、青々とした空と山々が望めるばかりで海上は見えない。

「どの辺だ、ここ」

と訊くと源爺《げんじい》は、「塩飽《しわく》じゃと思われまする」と不安げな様子で答えた。

現在の岡山県と香川県の間の海域に位置する塩飽諸島の辺りだという。

この塩飽諸島は、戦国当時、瀬戸内海を航行する船の主要な中継地点であった。源爺が怖がったのは、その沿海を海賊衆が跋扈《ばっこ》しているのを知っていたからだ。後世、塩飽水軍と呼ばれる塩飽の海賊衆は、江戸期になっても操船の達者として名高く、幕末には太平洋を横断して米国に渡った咸臨丸《かんりんまる》の水夫《かこ》として雇われたほどだった。

だが、その名を聞いても景は顔色一つ変えることはなかった。

当然である。この瀬戸内の海で、村上武吉《たけよし》の娘が恐れるものなど何もない。

「塩飽かよ」

面倒臭そうに立ち上がると身を翻《ひるがえ》して、迫る海賊たちに半身を曝《さら》した。

「オレだ」

大口を開けて叫んだ。

仰天したのは塩飽海賊の方だ。長身に異様な風体、そして何よりその容貌《ようぼう》、一度見たら忘れようにも忘れられるものではない。

「能島《のしま》の姫様にござりまするか」

はっと目を見張って問う将らしき男に、

「ああ。能島村上の景じゃ」

と返すや、二十艘におよぶ小早で兵が一斉に平伏した。水夫たちも櫓を投げ出し這《は》いつくばった。

『イエズス会日本年報』に収録されたルイス・フロイスの書簡によると、この時から五年後の天正九年（一五八一年）、フロイスは、豊後《ぶんご》（大分県の大半）から堺《さかい》に向かって瀬戸内海を航行中、塩飽の湊《みなと》に停泊したという。

湊に着く直前のこととして、こんな話が記されている。

「この港（塩飽の湊のこと）に着く前に、能島の海賊が数人、我らの船に乗り込んだ。もし我らが兵士を同伴していなければ、一つの島の後に隠れていた十艘の船をもって我らの船を襲撃する意図で、兵士乗組みの有無を探るためであった」

そこにいたのは、能島村上の兵と化した塩飽の海賊衆であった。村上武吉の支配は、塩飽諸島にまで及んでいたのである。書簡にある、能島の海賊が同伴を確認した兵士とは、前に記した「上乗《うわの》り」のことだ。この上乗りがいたため、能島の海賊は、

「丁寧なる挨拶《あいさつ》をして塩飽に去った」

とフロイスは記す。

塩飽は能島村上の領分ゆえ、景も海賊働きのために何度か足を延ばしたことがある。塩飽の海賊衆が景を見知っていたのは、このためであった。

「これは能島の姫様直々《じきじき》の上乗りとは知らず、大変御無礼仕《つかまつ》りました。何卒《なにとぞ》お許し

くださりませ。この通り」

塩飽海賊の将は青ざめた顔で弁じ終え、再び身を縮めて平伏した。

「ちょうど良い」

景は大声で返した。

ここに来る少し前、近くの島に寄ったが、ろくに水も食糧も得られなかった。冷蔵技術のない時代のことである。航行中は、毎日のように補給を続けなければならない。

「水など所望じゃ。湊へと案内せい」

「御意《ぎょい》」

将が発すると、小早の兵と水夫はすぐさま立ち上がり、舳先《へさき》を巡らせた。

廻船が導かれたのは、塩飽諸島の中心、本島《ほんじま》（香川県丸亀《まるがめ》市本島町）である。当時は塩飽と言えばここを指した。

湊に着くと、塩飽海賊の将は追い立てられるようにして手配りを終えた。景と門徒の一行が見守る中、桟橋《さんばし》に泊めた廻船の甲板に、続々と水と糧食が運び込まれる。すべての物資が積み込まれるのに一刻《とき》（2時間）とかからなかった。

依然、陽は中空にある。

「船出せ」

景は、門徒たちにこれ以上の休息を許さず、下知を放った。

この時代の航行は、星などによって針路を定める「沖乗り」ではなく、陸地を見ながら船を進める「地乗り」だった。従って、陸地の見えない夜間は原則として船を動かさない。先を急ぐ者は、陽の傾くのに急《せ》かされつつ航行することになる。大坂本願寺に一刻も早く馳せ付けたい門徒たちにも異存はない。

「承知致し申した」

喊声《かんせい》を上げると、帆を再び上げるべく綱に取り付いた。

帆が風を受け、廻船はしずしずと航行を再開し、再び東に舳先を向けた。その廻船を、百人はいるであろう塩飽の海賊衆が土下座して見送った。

「姫様のひと言で、塩飽の海賊衆がまるで下僕のような」

源爺は、桟橋でひしめき合う海賊の群れを船尾《とも》から目にして感嘆の余り身震いしていた。

源爺に並んだ景は、海賊の群れに醒《さ》めた目を向けている。相手がこうまで無抵抗だと、物足りない気分にもなる。

「オレじゃあない。父上の力さ」

無感動に答える景に、留吉《とめきち》が茶々を入れてきた。すっかり元気を取り戻し、口の悪さまで復活していた。

「そんな立派な父ちゃんがいるんなら、泉州で姉ちゃんの嫁《とつ》ぎ先も見付かるかもな」

（なんでオレの目論見《もくろみ》を知ってる）

景はぎょっとなったが、すぐに思い直した。

就英《なりひで》から手厳しく肘鉄《ひじてつ》を喰らったところを聞かれた上に、泉州ならば、ちやほやされると聞いた途端に、難波《なにわ》行きを承諾したのだ。気付くなという方が無理である。

（そりゃ分かるよな）

うらぶれた思いで留吉を見れば、小僧は腕を組んで「嫁ぎ先、見付かる見付かる」と、これ見よがしにうなずいていた。

（この餓鬼）

奥歯を嚙《か》み締めていると、源爺までもが、

「こら、留吉。斯様《かよう》なことを申すでない」

と慌《あわ》てふためいて小僧の口を押さえに行く。

（この爺も、分かってるわ）

げんなりした。が、ここは女としての一応の面子《メンツ》は保っておきたい。

「あのね。お前ら下賤《げせん》の者とは違って、オレらほどの大家《たいけ》じゃ輿入《こしい》れってのは家同士が縁を結ぶためにするもんなの。能島村上の姫様をもらいたい家なんぞ、ごまんとあるんだからな」

ごまんといっても、実は総勢五人しかいない。とはいえ、悍婦《かんぷ》と名高い景姫をもらおうという果敢な武家が、瀬戸内周辺の国々にもいるにはいた。

だけどな、と景の話はくどい。

「父上がいつもオレの心積もりを訊くもんだから、ずっと嫌だと答えてきただけ」

縁談を断ったのは事実である。縁組を望んだそのいずれもが陸《おか》の武家で、輿入れを望む海賊家ではなかったのだ。

「だいたいこっちから申し込んで断られたことなんか、一度もないんだからな」

景は憮然《ぶぜん》として言ったが、これは大嘘《おおうそ》だ。父の武吉が散々に手を回して、やっと取り付けてきたのが、先の五人だったと知っていた。しかし、そこまで口を滑らせて、はっと気が付いた。留吉と源爺はその反証をすでに得ている。

無論、就英のことだ。

横目で見ると、二人は冷ややかな視線を送ってきている。

（ちっ）

景はさあらぬ体で、

ってくる。
「児玉《こだま》就英は別な」
さらりと前言を翻《ひるがえ》し、海の方に向き直った。それでも二人の視線は背中に突き刺さ
——どうせ全部、与太《よた》話なんだろう。
縁組を申し込まれたというところからして嘘なんだろう、と視線は疑っている。
(嫌な奴《やつ》らだ)
せめて景を見目麗《みめうるわ》しいと評した爺ぐらいは、話を鵜呑《うの》みにしてもいいではないかと
思ったが、ちらりと見ると、源爺も疑いの目を向けていた。
(こりゃ話してやるしかないな)
景は面倒臭げに顔を歪《ゆが》めた。
海賊家に輿入れしたい理由である。このこだわりさえなければ、とうの昔に輿入れ
できていたのだと分からせたい。
「鶴姫《つるひめ》って知ってるか」
と二人に訊いた。
「つるひめ？」
留吉はもとより、源爺も首を捻《ひね》った。景は小さく嘆息すると、

「源爺でさえ知らんか。大三島《おおみしま》は三島神社の鶴姫だ」

大三島は、能島も含まれる芸予《げいよ》海域の島々のうちの一つで、海域で最大の島である。毛利家の正使、乃美宗勝《のみむねかつ》と児玉就英が、能島に来る際に通過した鼻栗《はなぐり》瀬戸の西側の崖《がけ》を成していたのがこの島で、能島からはわずか一里（約4キロ）とごく近い。

大三島には、三島神社（現在の大山祇《おおやまづみ》神社）が鎮座し、戦国期のはるか以前から海の守り神として知られていた。村上海賊たちも氏神として崇《あが》め、大事な戦の前には必ず戦勝祈願の催しを執り行ってきた。

「その三島明神の大祝《おおほうり》職、三島安用《やすもち》の娘が鶴姫だ」

景が海賊家に輿入れしたい理由は、この鶴姫にまつわる伝説にあった。

「いまから三十五年ほど前の話だ」

天文十年（一五四一年）、景の生まれる十五年前のことである。当時、山口を本拠とし、中国地方の西半分と九州地方の北部を領していた大内義隆《おおうちよしたか》は、三島神社を擁《よう》する大三島を奪おうと、水軍を発した。

天文十年のこの時期、四十四歳で存命中の毛利元就は、大内義隆に臣従している。十年後の天文二十年（一五五一年）、同じく大内家の重臣だった陶晴賢《すえはるかた》が義隆を弑《しい》したため、元就は、これまで何度か触れた厳島合戦を起こし、晴賢を討ち取るに至るのである。

「三島神社は、三島水軍ってものを持っていてな」

景は話を続けている。

伝説では、三島水軍の将の一人に、越智安成《おちやすなり》という男がいて、鶴姫と想《おも》いを通じ合っていた。

「鶴姫はこの男とともに船戦《ふないくさ》に出て、数度にわたって大内家の水軍を追い払ったということだ」

しかし、何度目かの船戦の際、安成は討ち死にしてしまう。鶴姫は死を賭《と》して大内水軍に最後の突撃を図り、敵を撃退したのち安成を追って入水《じゅすい》し、自死した。

「そんとき鶴姫は、十八歳だったんだってさ」

景は十歳の頃、この話を能島村上の老兵から聞いた。話の最後が何やら陰気臭く、気に入らなかったが、恋仲の男と連れ立って大合戦に臨むところが、この女の好みに合った。

(オレも夫となる男とともに、船戦をやるのだ)

無邪気にそう決めた。

「オレは鶴姫のごとくなりたいのさ」

と、廻船の上の景は、留吉と源爺に明かした。さすがに胸の内をさらけ出すのは照れ臭く、口調はぶっきらぼうだった。

景の望みが鶴姫のごとく愛《いと》しき男と船戦をともにしたいということならば、夫にする男は海賊衆にならざるを得ない。

「だから、オレは陸の武家からの申し入れは全部断ってきたの。本当だぞ。オレは海賊家にしか嫁に行かん。分かったか」

「ふうん」

留吉は口を歪めると、からかうように言った。

「それなら、姉ちゃんは船戦で戦って、その後、男を追って死ぬってことか」

「馬鹿《ばか》。好いた男と一緒に軍船に乗り、華々しく合戦がしたいだけ」

「うわっ」

と留吉は驚いて見せた。この醜女《しこめ》が「好いた男」などとよくも臆面《おくめん》もなく吐《ぬ》かせるものだ。

だが、景は小僧の反応は気にせず、鶴姫についてずっと抱いていた疑問を口にした。

「でもどうしてなのか、軍書には女は軍船には乗っちゃ駄目って書いてあんだよなあ」

海賊働きを兄に叱られ、腹が立ったゆえ兄の蔵書を盗み読みしたところ、確かに禁《きん》忌《き》とされていた。軍書は意外に面白く、大抵のものは読破したが、いずれの書にも禁忌は記されていた。

「なら鶴姫様とやらも船戦なんてできなかったはずじゃないか」

留吉が訝《いぶか》しげな顔をした。景も同感だ。

「そうなんだよなあ。何で鶴姫は軍船に乗れたんだろ」

この疑問を景は、かつて父の武吉にぶつけたことがある。

ところが不思議なことに、海や戦のことは何でも知っている父が鶴姫のことは知らなかった。

「はて鶴姫とな。天文十年の戦は無論承知しておるが、何しろわしが八つの頃でな」

と記憶を手繰《たぐ》る風を見せたが、埒《らち》が明かない。仕方なく来島《くるしま》村上の吉継《よしつぐ》が能島城に来た折に尋ねると、

「鶴？　知るか！」

と怒鳴りつけられた。どうせ無駄だろうと思いながら、因島《いんのしま》の吉充《よしみつ》にも訊いてみると、

「ああ、あれな。うんうん」

と、うなずきながらどこかへ行ってしまった。知ったかぶりをする際の吉充のやり口だった。

(こりゃ、法螺《ほら》話か)

あの老兵が、何のつもりか作り話でも拵《こしら》えたのか。能島の家臣に問うても、一向にまともな返事は返ってこなかった。

(これはいよいよそうだ)

いくら何十年も前の話とはいえ、軍書の禁忌を破った女子《おなご》のことを皆が皆、記憶していないとは思えない。

(あいつ、担《かつ》ぎやがって)

そう判じた景は、老兵に文句を付けに行った。が、反応は意外なものであった。

「何を申される」

老兵は目を剝《む》いて怒った。

「鶴姫はまこと大三島におった女子にござるわ。能島村上も大三島に加勢したゆえ、わしはこの目で見た。御屋形《おやかた》様は御幼少じゃったゆえ、御存知《ごぞんじ》ないのじゃ」

(ほう)

景は老兵の怒りに真実を見た思いで、目を輝かせた。

「それなら、軍書の禁忌のことはどうじゃ。鶴姫も女子ならば、軍船に乗って戦などできるはずがあるまい」

勢い込んで問いを重ねたが、老兵は、

「斯様なこと、雑兵《ぞうひょう》たるわしは知り申さぬ」

と言ったきり、むっつりと口をつぐんだ。

（なんだよ）

不満だったが、一方ではこのことで鶴姫の実在を信じる気にもなった。

見たところ、この老兵は父より三十近くも年嵩《としかさ》のようだ。父も子供だったゆえ、鶴姫のことを記憶していないのだろう。また、鶴姫の活躍もさして華々しいものではなく、兵どもに紛れ込んで戦った程度のことだったのかも知れない。ならば、父や能島の兵が知らないのも納得できる。

（こういう女がいたのだ）

以来、景は、ことあるごとに鶴姫のことを引き合いに出した。海賊働きを止める弟に「三島明神の鶴姫だってこうするぞ」と言い立てるのもこのせいであった。

「姫様は、すべてを欲しておられるのですな」

分厚い下唇を出しながら依然、腑《ふ》に落ちない顔でいる景に向かって、源爺がおもむろに口を開いた。

「ん？」

景は、きょとんとして、突き出していた下唇を引っ込めた。

源爺は、わずかに哀れむような色を表情に浮かべて言う。

「姫様は海賊の家に輿入れしたいと望まれ、軍書にて禁じられておるという戦にも出たいと仰《おお》せじゃ。すべての望みを叶えたいのでござりまするな」

まるで、贅沢《ぜいたく》なとでも言いたげな物言いである。

「そうだ、悪いか」

景がにわかに不機嫌な顔になって返すと、源爺は微笑した。

「悪うはござりませぬ。ただ、何かひとつでも捨てる覚悟をなされてはどうかと思うたまでにござりまする」

源爺は百姓である。

戦時には兵として徴発され、平時には年貢《ねんぐ》と労役を強要された。留吉の父母である息子夫婦もその過酷な生活の中で死んだ。源爺にとって、生きるとは望みを捨てることであった。この爺が望みを後生《ごしょう》に託すべく一向宗《いっこうしゅう》に傾いたのも無理からぬことである。

こういう源爺から見れば、煩悩《ぼんのう》に囚《とら》われているかのような景が不憫《ふびん》にも思えてくる。

だが、景は「へっ」と鼻で笑った。

(門徒め)

父から徹底的に甘やかされて育ったこの娘が、後生に期待を寄せることはない。

「源爺よ」

じろりと老いぼれに目を向けると、下知を発するかのごとく言い放った。

「オレは全部を手に入れる女子じゃ。そう心得よ」

源爺も反論したり、説教する気はない。威に打たれたかのように、「左様にござりましょうとも」と素直に頭を下げた。

そんな二人を、留吉はにやにや笑って眺めている。その顔はもちろん、景の言い分に異を唱えていた。

「なんだよ小僧、文句あんのか」

景は凄むが、最前この悪餓鬼を泣かせた手前、ここは穏やかに脅すだけに留めた。

「お前、どうもオレのこと恐くないみたいだね。いいか、瀬戸内の浜という浜の民どもは村上海賊って聞いただけで泣きだすんだからな。よう覚えておけ」

同じ頃、泣き叫ぶ民を前にして、困り果てていたのは景親《かげちか》だ。姉の立ち寄った跡をたどるため、試しに上陸した、とある島でのことである。

『武家万代記』には、

「海賊が掛《か》けたると申合《もうしあい》女童共泣きさわぎ申」

などとあり、いかに瀬戸内の住民たちが村上海賊を怖《おそ》れていたかが記されている。

いま、景親のまわりでは、島の女子供ばかりではなく、男たちまでもが、この世の終わりと泣き喚《わめ》いていた。

民がこうまで恐れるのは、父の武吉が取り仕切る前の村上海賊が付近の島々を荒し廻り、乱暴狼藉《ろうぜき》の限りを尽くしたからである。景親が姉は来たかと尋ねても、島民からまともに答えは返ってこなかった。

「ったく、どんだけ悪さしてきたんだよ、うちのご先祖は」

と途方《とほう》に暮れた。

24

能島《のしま》を発《た》ってから六日後、景《きょう》と門徒たちを乗せた廻船は、播磨灘《はりまなだ》に入っていた。東西を淡路島《あわじ》と小豆島《しょうど》で挟まれた海域である。

従って、讃岐国《さぬきのくに》小豆島（香川県小豆郡）は通り過ぎている。『能島来島因島《くるしまいんのしま》由来記』によると、小豆島は来島村上家の村上吉継《よしつぐ》の所領とされるが、三島村上の支配の及ぶ海域はここが東方の限りで、一行はすでに領分の外へと漕《こ》ぎ出ていた。

快晴の空の下、景は甲板で腕を枕《まくら》に寝転んでいる。夏の陽に照らされ続けてきたので、ただでさえ黒い肌が、真っ黒になっていた。

「暑《あ》っつい」

薄目を開けて空を睨《にら》み上げようとすると、陽を遮《さえぎ》る影がある。

「姫様」

目を開ければ源爺《げんじい》であった。皆が櫓《ろ》を漕《こ》ぐ中、ひとり櫓を引き上げ景の傍で膝《ひざ》を揃《そろ》えている。

「どうした」

「お陰様で、間もなく難波海《なにわのうみ》に入りまする」

「おう」

景は一声放つや、飛び起きて舳先《へさき》の向こうに目を凝《こ》らした。

「明石《あかし》の瀬戸とはあれか」

現在の呼び名は明石海峡だが、当時はこの呼び名である。

右手は、淡路島の稜線《りょうせん》が明石の瀬戸へと落ち込み、左手では、本州の明石平野の陸地が迫り、瀬戸内海を急激に狭めている。その様子は、難波海の玄関口そのものであった。

周知の通り、淡路島は大阪湾の西側に蓋《ふた》をするかのごとく南北に長い。島の北半分は、津名《つな》丘陵がおおむね占めており、島の北部の平地は津名丘陵を北と東と西で取り巻く、わずかな浜しかない。このうち、島の最北端に当たる浜、すなわち景の乗った廻船が過ぎようとしている辺りが、松帆《まつほ》の浦である。

明石の瀬戸に臨むこの浜は、昔から景勝の地として名高い。鎌倉時代の歌人、藤原定家《ていか》が歌に詠《よ》んだほどだが、景はそんなことは知りもしない。それよりも、この女の関心を引いたのは、島の軍事拠点である。

「ならば、あれが岩屋《いわや》城か」

景は指差した。松帆の浦のすぐ近くまで山が連なり、その突端に追い立てられるようにして城が築かれている。下り始めた津名丘陵の最北端にある俎板《まないた》山に腰を据えた城が、岩屋城であった。

ちなみに現在、岩屋城址《じょうし》は二つある。景がいま目にしているものと、そこから南東

2キロ、島の北東端に位置し、大阪湾に面した岩屋城だ。後者は、慶長十六年（一六一一年）に池田《いけだ》輝政《てるまさ》が築いたもので、この時期にはまだない。岩屋城といえば島北端部の城だけを指した。

景は、ぼんやり城を眺める源爺に、得心の行ったような顔を向けた。

「こりゃ見晴らし良さそうだわ。父上が岩屋岩屋と言うたわけじゃ」

なるほど、城に登って西を見れば瀬戸内海、東を見れば難波海が見渡せる。眺望がきく城を求める海賊にとって申し分のない場所にある。

武吉《たけよし》が、にわかに淡路国岩屋城に注目し始めたのは、大坂本願寺への兵糧《ひょうろう》入れの話が毛利家の先触れから伝えられたころからだ。正使として乃美宗勝《のみむねかつ》と児玉就英《こだまなりひで》が能島城に来たのは、この後のことである。

父は兵糧入れをするのであれば、ここを中継地点にすべしと考えていたのだろうか、淡路島の北端にあるというこの城の名を、景の前で一度だけ口にした。めったに娘の前で戦の話はしない父が発した名である。たちまち覚えた。

「いい城だなあ」

景がそう言って再び城を見上げたとき、麓《ふもと》の浜での異変が視界に入った。

「む」

目を凝《こ》らすと、浜から数艘《そう》の小早《こばや》が漕《こ》ぎ寄せてくる。

「またかよ」

景は面倒臭そうに吐き捨てた。

淡路島は、これだけで一国に数えられている。天正四年（一五七六年）のこの時期、淡路一国を制していたのは安宅信康《あたぎのぶやす》という男である。ちなみにこの時代、最も巨大な船を「安宅《あたけ》」と呼ぶが、これはこの安宅氏にはじまるとの話もあるほどで、海賊家としては老舗《しにせ》だった。

景もその程度のことは知っている。岩屋城もまた、安宅家が有しているはずだ。

事実、安宅家が所有している城は、岩屋のほか、洲本《すもと》、由良《ゆら》など八城で、城主は総称して「安宅八家衆」などと呼ばれていた。その岩屋城から発せられたならば、安宅家の小早に相違ない。

すでに能島村上の海域でもなければ、三島村上のそれでもない。上乗《うわの》りの景としては、丁重《ていちょう》に名乗って通行の許しを得るのが役目のはずだったが、やり口は、能島村上の領分にいるころと全然変わらなかった。

「安宅家か。当方は能島村上。狼藉《ろうぜき》するならば捨て置かんぞ」

迫る小早たちにほとんど恫喝《どうかつ》に近い調子で怒鳴り上げた。

ここまで強く出れば、相手の怒りを買いそうなものである。しかし、どういう訳か相手からは反応がない。しばらくして意外な答えが返って来た。

「当方は毛利家にございまする」

安宅家の所有であるはずの岩屋城に、毛利家の兵が入っているという。

毛利家の分家、吉川元春《きっかわもとはる》の仕業《しわざ》である。安芸郡山城《あきこおりやま》でのそもそもの衆議で、自重を求める弟の小早川隆景《こばやかわたかかげ》をねじ伏せ大坂本願寺への兵糧入れを決めた際、元春は甥《おい》で毛利家当主の輝元《てるもと》に、岩屋城を押さえるよう献策していた。そこは武辺の男、元春であった。村上武吉と同様、兵糧入れには、岩屋城の確保が不可欠と考えたのだ。城の接収には、毛利家直属の水軍、すなわち児玉就英配下の武将たちをあてた。

中国地方の戦乱について記した『陰徳太平記』には、天正四年七月以前のこととして、

「淡路岩屋城には、丹地太郎兵衛、神野加賀守、長屋右近太夫を入れ置きたり」

と記されている。丹地、神野、長屋のいずれも、毛利の家中である。

しかし、岩屋城を有する安宅家の当主、安宅信康は、いまから四年前の元亀《げんき》三年(一五七二年)に織田信長の軍門に降《くだ》っていた。

毛利家によるこの岩屋城確保の実態はよく分からないが、毛利家は戦によって信康

を切り従え、城を手に入れたのではなさそうだ。後年、岩屋城に入っていた毛利家の将が、淡路の侍たちの不穏な動きに驚き、城を捨て国に逃げ帰るという事態が起こるが、信康がこの時点までは毛利家に協力していたことを意味する。安宅信康は織田家と毛利家を両天秤《てんびん》にかけていたと見るべきであろう。

ともあれ、景が明石の瀬戸を通過しようとしていた天正四年五月初旬の時期、岩屋城の事実上の主は毛利家であった。そうでなければ後の史実とも符合しない。

「御無礼仕《つかまつ》り申した。御随意にお通りくだされ」

毛利家の兵たちは、景のことなど知らないはずである。だが能島村上家のことは知っているのか、そそくさと小早を返して、浜の方へと戻って行った。

「へっ」

景は、船尾の向こうで小さくなっていく岩屋城と数艘の小早を見送りながら、

「ちゃんちゃら可笑《おか》しいわ」

とうそぶいた。

どうやら毛利家は本気らしい。しかし岩屋城を押さえても、能島村上の加勢がなければ兵糧入れは叶《かな》うはずがないのだ。児玉就英が涙をのんで輿《こし》入れを受け容《い》れたのを知らない景にとって、毛利家の岩屋城確保は無駄骨以外の何物でもなかった。

「姫様」

と、源爺は心配げな顔を景に向けた。

この爺は、能島城の小部屋での話を思い起こしている。

五年前に戦に及んだゆえ、能島村上は毛利家に手助けはしないとこの姫は言った。いま姫が廻船に上乗りして自分たち門徒に同道しているのは、単に自らの都合で、家の意向とは何ら関係ないはずだ。

「能島村上様は、毛利家に御味方してはくださらぬのでござりましょうか」

「父上か？　父上は毛利家の兵糧入れなんぞ付き合いはせんわ」

依然、景はこの調子である。それどころか、

「だいたいな、今度の織田家と大坂本願寺のことで言えば、本願寺の方が良くないぞ」

とまで言う。

宗勝と就英の前に先触れの者が能島にやって来た折、景は何事かと父に尋ね、今度の兵糧入れの経緯について無理やり聞きだした。が、どう考えても本願寺の方が間違っている。

「天下の要害なんてめったにあるもんじゃないんだから、素直に信長の奴に大坂を譲

ってやりゃいいんだよ。念仏なんぞ、どこでだってできるだろうが」

戦本位の景には、織田信長の申し出こそ道理である。たかが念仏を唱えるために要害の地に居座る方がおかしく、言語道断の話であった。

大坂の地への想いは、所詮《しょせん》、門徒にしか分からぬものと源爺は諦《あきら》めている。言葉なく寂しげな笑みを浮かべると、深く頭を下げた。

(言い過ぎたかな)

景は、源爺の歯ごたえのない様子を見て、言葉が続かない。

「へっ」

とふて腐れたように口をつぐんだ。

そこに勃然《ぼつぜん》と門徒たちから歓声が上がった。

留吉《とめきち》を始め、そのいずれもが櫓から手を離して船の行く手に注目した。風もなければ潮も止まっているゆえ、漕ぎ手を失った廻船は停止してしまった。

「なんだよ」

景が振り向くと、舳先《へさき》の向こうで一気に視界が開けていた。

明石の瀬戸を通り過ぎ、難波海、現在の大阪湾に入ったのだ。陽光煌《きら》めく海のはるか先で横一線に地平が広がっている。噂《うわさ》に聞く難波の地だ。

無論、門徒たちが見つめているのは別のものである。

「大坂じゃ」

源爺は、うわごとのようにつぶやくと、膝《ひざ》を折って両手を合わせた。

「大坂本願寺じゃ」

叫び上げるや、南無阿弥陀仏《なむあみだぶつ》の名号《みょうごう》を唱え始めた。それに倣《なら》って他の門徒たちも跪《ひざまず》き、一斉に念仏を唱えた。

（うるさいな）

景は念仏の大合唱の中、苦い顔で門徒たちの視線の先にあるものを凝視した。

陸とも沼ともつかぬ葦《あし》の原らしき陸地の先に、巨船のごとく台地が盛り上がり、長々と横たわっている。その台地の最も左側、方角でいえば北端に、例の巨大な建造物はあった。

（あれか）

景が目を凝らしているのは現在の大阪市の辺りである。現在とは異なり建物などほとんどないゆえ、地形が剝《む》き出しとなっており、その建造物は廻船からでも易々《やすやす》と目にすることができた。

現在の大川、当時の呼び名で渡辺川によって北側を限られた台地の端に土塁が盛られ、土地が一段高くなった所があった。土塁の上で白塀が輝いているのが微《かす》かに見える。白塀の上から黒々と覗《のぞ》くのは、本堂か何かの瓦《かわら》屋根に違いない。

（あれが、大坂本願寺か）

景は刮目《かつもく》したが、門徒たちのような歓喜はない。それよりも大事な用がこの女にはある。

「泉州の堺《さかい》はどこなんだ」

一心に念仏を唱える源爺を突っ突いた。

源爺は、はっと景の方を向いたが、問い掛けが耳に入らぬのか、

「姫様、有難うございまする。これで無事、大坂に加勢すること叶いまする」

と今度は景に向かって手を合わせて来る。

（やりにくいな）

景は決まり悪そうに顔を顰《しか》めた。

が、その心は小さく揺さぶられていた。

源爺はあたり憚《はばか》らず涙を流し続けている。他の門徒たちを見やれば、いずれも顔をくしゃくしゃにして涙を拭《ぬぐ》おうともしない。小生意気な小僧でさえそうだった。

（しおらしい奴らだ）

こいつらの言によれば、すでに浄土行きが決まっているにもかかわらず、そのお礼のために大坂本願寺に馳《は》せ参じるらしい。わずかな兵糧を持参し、顕如《けんにょ》という一向宗の門主《もんしゅ》とともに籠城《ろうじょう》の辛苦《しんく》を嘗《な》めるつもりでいるという。

景にしてみれば、そもそも浄土などあるかどうかも怪しいものである。それを門徒たちは現世に何らの利を求めることなく、極楽往生が叶った礼だと称して本願寺に加勢する。だとするなら、女にとってそれは無償の行い以外の何物でもない。

(可憐《かれん》なことよ)

と、門徒たちの真《ま》っ直《す》ぐな思いをしみじみと噛みしめていたが、それも少しの間であった。この女は現世の、それも自らの利のためだけに、ここまでやってきたのだ。

改めて専《もっぱ》らの関心事を尋ねた。

「堺は？」

「は？」

源爺はまだ問いの意味が解《げ》せないらしい。

「堺だよ」

「ええと」

(何回言わすんだ、このじじい)

純粋な門徒たちに比べて自らの不純たるや、口に出すのも情けなくなるほどである。しかも相手は、景の目的を重々承知しているはずなのだ。それを何度も言わせるとは、わざとなのか。

もちろん源爺にそんな気はない。

「堺だよ、泉州の」

景が腹立たしげに問うたところで、ようやく、「ああ」と合点が行ったように声を上げた。

「堺はあれにございまする」

源爺は屈託のない調子で一方を指差した。

大坂本願寺に向かって、右手の浜辺に堺の湊《みなと》はあった。見たところ、本願寺からは三里（約12キロ）ぐらいであろうか。

ちなみに本願寺と堺の間には、この小説の冒頭に登場した難波《なにわ》砂堆《さたい》、すなわち景が葦の原と見た陸地の上に木津砦《きづとりで》があり、巨大な船のような上町《うえまち》台地には天王寺砦《てんのうじ》があって、難波海からでも姿を認められたが、景の目はそのいずれにも留まることはなかった。

それほどに堺の街の佇《たたず》まいは鮮烈である。ろくな建物などない浜辺に、突如《とつじょ》として一万の家屋がひしめき合う港都が出現する。いやがうえにも目立った。湊の一点に向かって商船らしき船が続々と吸い寄せられていくのでも自《おの》ずから知れようというものである。

（わざわざ尋ねることもなかったか）

景は悔やむ一方、

（この程度の道のりなら、今日中に堺に入れるな）

と、本願寺と堺の湊を見比べつつ、目処《めど》をつけた。

さっさと本願寺にこの門徒たちを引き渡し、廻船を乗り捨て、陸路で堺へ入ろう。

（泉州の海賊に会うのだ）

にやりと笑って湊を睨むように見詰めると、門徒たちに向き直り、大声で下知を飛ばした。

「者ども、櫓《ろ》を漕げや」

源爺や留吉を始め門徒たちは、弾《はじ》かれたように左右に分かれ、櫓に取り付いた。目標が肉眼で見える所までたどり着いたのだ。喜び勇んで櫓腕《ろうで》を前後に捏《こ》ね始めた。

景のお目当てが早くも目に飛び込んできたのは、明石の瀬戸を過ぎてから半刻（1時間）ほどが経ったころである。廻船は依然、難波海を航行していた。

（ん？）

右舷《うげん》から堺の湊を眺めていた景は、わずかに身を乗り出した。

堺の沖合を通り過ぎて、北へと船首を向けてくる二艘の船がいる。

（来たか）

と、目を輝かせた。

南方の堺方面から海岸に沿って北上してくる二艘は、この廻船へと向かってきているはずだ。あの進行方向からして、行く手を阻《はば》もうとしているに違いない。

このとき、明石の瀬戸を過ぎて三里ほどで本願寺付近の浜まではまだ七里近くもあり、堺までも同じぐらい離れている。それでも景には、遠く離れた二艘の船の意図がありありと分かった。というのも、相手の船があまりに巨大だったからだ。

（安宅《あたけ》か）

景は笑みを深くした。

「安宅」は苗字《みょうじ》ではなく、軍船の名称の方である。安宅あるいは安宅船とも呼ばれる。先にも少し触れたが、この当時、最大級の船の呼び名が、

「安宅」

であった。

全長50メートルほどもあり、左右の舷側に五十の櫓、計百挺櫓《ちょうろ》を備えていた。これまでしばしば登場した関船と比べると、倍の長さと櫓数を有する。

織田信長の家臣、太田牛一が記した『信長公記《しんちょうこうき》』によれば、三年前の元亀四年（一五七三年）五月のこととして、

「舟の長さ三十間（約54メートル）、横七間（約13メートル）、櫓を百挺立たせ」

と、琵琶湖《びわこ》に巨大軍船を建造した旨《むね》、記されている。当時の船でこれ以上のものはないが、安宅とは、おおむねこの大きさであった。

景が目にしたのも、その規模である。

安宅を持つのは、信長を除いて海賊衆しかいない。能島村上家でさえも数艘《そう》を有するに過ぎなかった。ならば、

（あの安宅の主は、海賊に違いない）

そう睨んだ。

巨大な安宅二艘は、淡路島の安宅氏のものではないはずだ。泉州沿岸を航行していることでもそれが分かる。堺の付近を航行して来たとすれば、周辺の泉州か紀州（現在の和歌山県）の海賊衆ではないか。

（きっと泉州だ）

瀬戸内では醜女《しこめ》と蔑《さげす》まれたこの容貌《かお》を、見目麗《みめうるわ》しいと崇《あが》めてくれるあの異国、泉州の海賊たちだ。景の緩んだ口元で歯がきらりと煌《きらめ》いた。

（さて、どうしよう）

安宅から視線を外し、門徒たちを横目で見た。

さすがの安宅も七里近くも離れていれば、粟粒《あわつぶ》のようにしか見えない。二艘の安宅に狙《ねら》われていることなど、船に不慣れな門徒たちが気付くはずもなく、懸命に櫓を漕ぎ続けている。

（船を停めるか）

とも思ったが、泉州の海賊を待ちわびていると見透かされそうで、何だか嫌だ。

（このまま行かせちゃえ）

どうせ、あの安宅に行く手を遮られるのだ。門徒たちにもいずれそれが分かり、勝手に船を停めることだろう。景はことさらに無表情を装《よそお》うと、安宅に目を戻した。

「ね、姉ちゃん」

ややあって留吉が初めに声を上げた。度を失って櫓から手を離し、震える指を海に向けている。その顔は子供らしい狼狽《ろうばい》をあらわにしていた。

（案外可愛《かわい》いとこあんな、こいつ）

右舷から安宅を眺め続けていた景は、留吉に顔を向けて鼻で笑ったが、再び安宅を見やるなり思わず目を見張った。

安宅が急速に大きさを増している。

波が寄せ、廻船が大きく揺れた。よほどの剛力が水夫《かこ》を務めているに違いない。安宅にもかかわらず、矢のごとき速さであった。

「案ずるな、オレが付いておる」

景は不敵な笑みを留吉に浮かべて見せた。だが、安宅が間近に迫り、二手に分かれて廻船の船首と右舷を阻んだのを目にすると、不覚にも一歩後退してしまった。

（でか過ぎるぞ、これ）

視界をふさぐ安宅の巨大さたるや、崖《がけ》が突如海中からせり上がってきたかのようである。能島村上にも、これほどの大きさの安宅はない。目前を圧する姿は、息も忘れるほどであった。

門徒たちは、もう竦《すく》み上がっている。留吉と同様、櫓を放り出し、安宅とは反対側の左舷で身を寄せ合っていた。

いまや廻船は完全に停止し、二艘の安宅に捕えられていた。廻船から見えるものといえば、安宅の船腹の陽に焼けた木目しかない。

そんな中、一歩下がった景は、次の瞬間にはうれしさのあまり笑みを洩《も》らしていた。

（これが泉州の海賊か）

安宅の主が泉州の者かどうかはまだ分からないが、そう決めてかかっている。これほどの安宅を持つ海賊ならば、ここらで名の響いた者に相違ない。海賊家への輿入《こしい》れを望む女にとって、これ以上ない狙い目だ。

（どうか、いい武者振りの男でありますように）

信心など全然ないが、この時ばかりは祈らざるを得ない。仰《の》け反《ぞ》るようにして安宅を見上げ、拝むような心持でいると、男がぬっと顔を出した。

25

「不審なる廻船、船頭はどの者か」

男は、はるか頭上で楯板《たていた》から身を乗り出し、叫んでいる。よほどの身分なのか、身に付けた肩衣《かたぎぬ》が豪奢《ごうしゃ》であった。にもかかわらず、景《きょう》はその男を見た途端《とたん》、大きく落胆した。

（なんだ、あの面《つら》ぁ）

小さく見える男の面は、ただでさえ丸い顔が浮腫《むく》んで毬《まり》のようである。高慢で無慈悲な様子がにじみ出ていた。

(泉州の海賊ってこんなのか)

がっくりと肩を落とし、

「船頭? 上乗《うわの》りならオレだけど」

ぶっきら棒に答えると、相手は意外にも、

「上乗り、何じゃそれは」

怒ったように問うてきた。海賊ならば当然知っていることを知らなかった。

景は怒鳴り返した。

「おのれは海賊衆ではないな。何者じゃ」

そう問われ、男が返した答えに震え上がったのは門徒たちである。

「織田家が内《うち》、太田兵馬《ひょうま》じゃ」

恐れ入ったかと言わんばかりに、男は名乗った。

信長の家臣だという。大坂本願寺を目前にして、最も出会ってはならない相手に出くわしてしまった。源爺《げんじい》や留吉《とめきち》を始め門徒たちは皆、息を呑《の》み、男を見詰めたまま身動き一つできなくなった。

が、景は、動揺する風もない。

「そりゃ、そうか」

と、ひと言発しただけである。

考えてみれば、当然のことであった。難波海《なにわのうみ》を行く船のいずれもが、堺《さかい》の湊《みなと》に舳先《へさき》を向けていて、群れからはぐれたよう本願寺へ向かっているのは、景の乗った廻船だけだった。行く手を阻《はば》む者があると
すれば、織田家配下の軍船《いくさぶね》に決まっているではないか。

戦慄《せんりつ》する門徒たちの中、景はぼんやりそんなことを思っていたが、

「織田家かよ」

にやりと笑うや、自らの主家を誇る男に、蒼海《そうかい》において最も恐るべき名で返した。

「伊予国《いよのくに》の海賊衆、能島《のしま》村上家が娘、景じゃ」

すると、

「ほんまけ！」

と安宅《あたけ》から頓狂《とんきょう》な声が上がった。太田ではない。兵が半身を勢い良く覗《のぞ》かせている。

素肌に胴丸《どうまる》を着けただけの格好は、海賊衆に違いない。海賊であればこそ、天下一の
海賊、能島村上の名に驚きの声を上げたのだ。

（やっと出てきたか）

景は兵を認めるなり片頬《ほお》を上げた。頭には一つの考えが浮かんでいる。言うまでもなく、門徒たちを窮地から救うための手立てではない。輿入《こしい》れ先の確保だけが、この女の狙いだ。

太田という織田家の家臣が海賊でないとすると、巨大な安宅の主《あるじ》は別にいることになる。その安宅の主が織田家に従っているため、太田も乗船しているのだろう。

（うまく行けば、安宅の主そのものに会えるかも知れん）

太田のことは気に入らないが、別に織田家に意趣《いしゅ》はない。むしろ本願寺などより、よほど気に入っている。

（どこにいるのだ）

安宅の上を探すうち、さっきの兵が待ちきれぬように喚《わめ》き出した。よく見れば、兵の顔は四角で岩石のようだ。真っ黒に焼けており、年は分かりにくいが自分と同じぐらいであろうか。大口を開けると、岩が真っ二つに割れたかのように思えた。

「ほんま能島村上の姫けっ」

と、岩はがさつに叫ぶ。

耳にしたことのない訛《なま》りに一瞬、とまどったが、話していることは分かった。

いつのまにか、安宅の舷側からは海賊衆の兵がずらりと顔を出し、景に視線を注いでいる。景は男どもを睨《にら》み上げ、傲然《ごうぜん》と言い放った。

「いかにも能島村上じゃ。生憎《あいにく》、旗も免符も持ち合わせてはおらんが、疑うとあれば試しに乗っ取りを掛けてみい。おのれらの十人程度なら、道連れにしてくれるわ」

「こら、本物《ほんまもん》じょ」

岩は、聞き慣れぬ語尾を伴わせつつ、感嘆の声を上げた。それに応《こた》えるように、他の兵たちからは一斉に哄笑《こうしょう》が上がった。笑いは好意に満ちており、威勢の良さをことさらに好む、いかにも海賊らしい反応であった。

だが、太田は時ならぬ和気藹々《わきあいあい》とした様子に眉《まゆ》を顰《ひそ》めている。

「瀬戸内の海賊衆など初めて見るが、西国《さいごく》では女子《おなご》が男の代わりを務めるのか。それとも男が腑《ふ》抜けなのか」

小馬鹿《こばか》にした体《てい》を隠そうともせず、揶揄《やゆ》した。

普段の景なら躍り掛かっていくところだが、いまは目的が別にある。太田に向かって鼻で笑って見せただけで、兵たちに改めて対すると、

「おいお前たち。能島村上の名を承知しておるなら、ここらの海賊衆じゃな。この太田と申す馬鹿の家臣ではあるまい」

無礼者、と太田は怒声を放つが、海賊衆は気にも留めない。岩がいち早く、

「せや。わしらは、泉州は淡輪《たんのわ》の海賊衆、眞鍋《まなべ》家が家中じゃ」

叫んで胸を張った。

（やはり泉州か）

景は浮き立った。難波海に入っていきなり醜女にとっての夢の国、泉州の、しかも海賊衆に出会ったのだ。胸も躍るというものである。

（ツキがあるわ）

心中でほくそ笑んだ。

天正四年（一五七六年）のこの時期、泉州の淡輪（大阪府泉南郡岬町淡輪および同阪南市淡輪の周辺）を押さえていたのが海賊衆、眞鍋家であった。

淡輪は、現在の大阪府の最南部に位置する。5キロほど南下すれば和歌山との県境だ。対岸の淡路島ともごく近い。

地図を見れば、大阪湾はおおざっぱに言って楕円《だえん》形を成しているのが分かる。その北と東は兵庫県と大阪府に面しており、西と南を淡路島が縁取っている。

この楕円には、わずかな切れ目が二つある。その一つが景の通過した北西の玄関口、明石海峡で、いま一つが南の友ヶ島水道だ。大阪湾に入る場合、瀬戸内海を航行すれ

ば明石海峡を、太平洋を航路とすれば友ヶ島水道を通らなければならない。大阪府とその対岸の淡路島は、大阪湾を南下するに従って急速に近付き、三里足らずの水門、友ヶ島水道を形成する。このうち本州側で東の門扉の役割を担《にな》うのが、泉州淡輪の地であった。

眞鍋家が押さえていたのは、この友ヶ島水道である。

『南紀徳川史』には、

「泉州には眞鍋関があるので、九州四国から上方へ往来する舟は帆別《ほべち》なるものを支払わなければならなかった」

と記されている。

村上海賊と同じく、眞鍋海賊もまた帆別銭を徴収していた。眞鍋関とあるのは、村上海賊と同様、周辺で関船を乗り回していたということで、友ヶ島水道を跳梁《ちょうりょう》する関船自体がこの海域の関所であった。

ちなみに現在、淡輪の一部である大阪府泉南郡岬町には、「眞鍋山古墳」がある。眞鍋家は、元々あった古墳の上に城を築き、友ヶ島水道を監視する拠点としたのだろう。それが、いつしか眞鍋の名が冠され、「眞鍋山古墳」と呼ばれるようになったと思われる。古墳が築かれた時代には、眞鍋の名はこの土地にはまだない。

というのも、眞鍋家発祥の地は瀬戸内海に浮かぶ小島、備中国《びっちゅうのくに》真鍋島（現在の岡山県笠岡《かさおか》市真鍋島）である。この島の名称から「眞鍋」の苗字《みょうじ》は生まれた。

備中の眞鍋家は、村上海賊などより、その系譜は確かでしかも古い。平安末期頃からその名が見え、『源平盛衰記』や『平家物語』に「眞鍋」あるいは「眞名辺」として登場する。

（もしかして、あの眞鍋家の支族か）

泉州海賊の眞鍋家と聞いて胸を高鳴らせた景がまず思ったのも、備中の眞鍋家のことであった。

景は、真鍋島のことをよく知っていた。真鍋島は、景が難波海に向け航行中に立ち寄った塩飽《しわく》諸島の本島《ほんじま》から西方約五里（約20キロ）のところにある。従って、村上海賊が支配する海域に属していた。景も何度かこの島を訪れ、眞鍋家中の者も目にしたことがあった。

（だとするなら、あの眞鍋家の支族とも思えん威勢じゃわ）

景の知る眞鍋家は、我が村上海賊の武威《ぶい》に押され、息を潜《ひそ》めるようにしている。だが泉州においては、大そうな威勢らしい。

真鍋島に本拠を置いていた眞鍋家の一部が淡輪へ移住してきたのは、およそ百五十年も前のことだ。

移住当時は、目立つ勢力ではなかったが、戦国期に入り淡輪家や深日《ふけ》家といった周辺の豪族たちを押さえ、淡輪一帯を制圧していった。いまでは、泉州の内でも一、二を争う大家《たいけ》に伸《の》しあがっている。

眞鍋家が信長に従ったのは、八年前、信長が泉州堺を押さえたのと同時期である。その命に従って大坂本願寺により近い大津に支城（現在の大阪府泉大津市神明町。南溟《なんめい》寺《じ》の辺り）を築いたが、勢いは依然、変わらない。その証《あかし》が、景の眼前を圧する巨大な二艘《そう》の安宅であった。

（これは我が婚家とするに足る）

景は興奮を目に宿していた。

（眞鍋家の当主よ、いるならば姿を見せよ）

念じるなり、岩のごとき面の兵に命じた。

「おのれらの当主は乗っておるか。おるならば呼んで来い。織田家の馬鹿では話にならん」

「なにをっ」

と、またも虚仮《こけ》にされて怒る太田を尻目《しりめ》に、岩は「おっしゃ」と勢い込んで返すや、楯板の向こうへ姿を消した。

(いたか、当主が)

景は鼻息も荒く兵を見送った。すると、岩が再び楯板から顔を出してくる。

「わし、岩太《いわた》ちゅうもんです」

と名乗る。

(まんまだな)

とはいえ、この名と顔は一度見聞きすれば忘れることはないだろう。

「しかと心得た。当主を呼べ」

「おう」

岩太は素っ飛んで行った。

太田は苦い顔でいる。だが、織田家の家臣としてこの廻船の意図を突き止めねばならない。威厳を込めて景を見下ろすと、罪人を詮議《せんぎ》するかのような調子で問うた。

「おのれらは如何《いか》なる用向きで難波へ罷《まか》り越した。いずれに参る所存じゃ」

(織田家の侍め、この姉ちゃんに何て訊《き》き方する)

と、景を横目で見つつ留吉は、はらはらしている。

これまで見てきた海賊の姫様の気性からして、相手の横柄《おうへい》な態度を放っておくはずがない。適当に言い逃れるどころか、堂々と我ら門徒の正体を明かし、わざと相手を怒らせかねない。

（姉ちゃん、穏やかにな）

祈るような気分でいたが、期待は案の定、裏切られた。

「へっ」

景は太田を睨《ね》め付《つ》け、叫んだ。

「答える義理などないが、面倒ゆえ教えてやる。行く先は大坂本願寺。この門徒どもを送り届けんがため、難波海まで罷り越した」

（やっぱり、やったか）

留吉はがくりと首を折った。源爺は、ほとんど白目を剝《む》いて卒倒せんばかりだ。

いかに眞鍋家の者どもが好意らしきものを示そうとも、所詮は雑兵《ぞうひょう》のたぐいである。実権は、眞鍋家の当主か、あるいはこの織田家の侍にあるに違いない。いやむしろ、眞鍋家が従っているのであれば、織田家の者の下知にこそ兵は服さねばならないのではないか。

門徒たちにもこのぐらいの支配関係は分かる。もはや命運は尽きたとばかりに呆然《ぼうぜん》と口を開けっぱなしにしていた。

（この馬鹿海賊）

留吉は、心中で景を罵《ののし》りながら恐る恐る首を起こした。安宅を見上げれば、思った通り太田と名乗った織田家の侍は嚇怒《かくど》している。

「おのれ、ぬけぬけと」

太田は景の物言いに唖然《あぜん》としていたが、そう口にするなり大声で下知を放った。

「者ども、廻船に向け、矢を射掛けよ」

「姉ちゃん、逃げろ」

とっさに留吉は叫び、景に向かって駆け出した。門徒たちは、襲い掛かってくるであろう無数の矢を避けるべく、船倉へ殺到していった。

だが、景は突っ立ったままでいる。

「姫様、お逃げなされ」

留吉とともに駆け寄った源爺が、泣かんばかりに訴えても動かない。表情も変えずに腕を組み、

「平気さ」

と安宅の上を顎《あご》で指した。

26

言われてみれば、さっきから矢の一本も飛んで来ない。二人が上を見やると、眞鍋《まなべ》の兵はその場を動いてはいなかった。

「おのれら、何故《なにゆえ》、矢を放たぬ」

安宅の上では、太田が真っ赤な顔で兵を叱《しか》り付けていた。怯《おび》えた犬のように、あちこちに喚《わめ》き散らし、ついには、

「織田家の下知《げじ》ぞ。聞かぬか」

切り札を出したが、従う様子はない。それどころか、兵の一人はうるさそうに、

「織田家の下知か知らんけど、そら出来《でけ》ません。海賊衆にはな、定法《じょうほう》ちゅうのがありますよってな。軍船《いくさぶね》でもない上乗《うわの》り付きの廻船に、咎《とが》もないのに矢を射掛けるなんちゅうこたあ、出来へん」

と泉州詞《ことば》で突っぱねた。

「なにが定法か。四の五の言い立ておって」

太田は歯噛《はが》みしたが、海賊の掟《おきて》とはこういうものであった。

信長と一向宗《いっこうしゅう》が、すでに戦闘状態にあるとはいえ、いま能島《のしま》村上の姫は、軍船ではなく廻船に上乗りして、通行を保証せよと言っているのである。

眞鍋家の家臣もまた、難波海《なにわのうみ》から発する商船に請《こ》われて上乗りの任に就き、瀬戸内海を通行することがある。この場合、能島村上の通行許可は不可欠だ。それゆえ、能島村上の上乗りする船が難波海を通行するのを眞鍋海賊は阻《はば》むことはできない。拒《こば》むなら、眞鍋家も瀬戸内海を通過できなくなってしまう。

以前も触れたが、

「東より来る船は、東賊一人を載せ来たれば即《すなわ》ち西賊害せず。西より来る船は、西賊一人を載せ来たれば即ち東賊害せず」

というのが海賊の定法なのであった。

いずれの海賊衆も、海で繋《つな》がっている以上、相身《あいみ》互《たが》いである。眞鍋家の兵が景《きょう》に好意を示したのは、能島村上の武威と景の性格もさることながら、この定法を共有していたからだ。

景もそれを承知している。

大坂本願寺に兵糧《ひょうろう》を運ぶ門徒を乗せているから軍船と見なされる場合も考えられたが、兵といえば痩《や》せ百姓二十人ほどだ。上乗りの定法が適用されると踏んでいた。

（やっぱりな）

と、うろたえる太田を意地の悪い目で見詰めた。

（間の抜けた奴《やつ》よ）

鼻で笑っていると、太田はやおらこちらを見下ろし、話し掛けてきた。海賊の定法に気圧《けお》されたのか、語調は急変し、至って物柔らかになっている。

「能島村上殿、そこでは話ができ申さぬ。安宅まで上がって来られてはいかがか」

太田が兵に命じ、縄梯子《なわばしご》ががらりと降ろされた。

（渡りに船とはこのことか）

望むところである。間近で眞鍋家の当主を品定めしたい。

「行こう」

と言って急き込《せ》んで船端の欄干に足を掛けるのを、源爺《げんじい》が止めた。

「姫様、行ってはなりませぬ」

太田という男の態度、いかにも怪しい。源爺にしてみれば、眞鍋家の兵も信用し切って良いとは思えない。

だが景は海賊の定法とやらに安んじているのか、それとも度胸があるのか馬鹿なのか、

「平気平気」

　と、へらへら笑っている。

　安宅と廻船は、両者の櫓《ろ》がつかえているので接触はしていない。景は源爺に笑い掛けると、ひらりと海を越えて縄梯子に飛び移った。

「姫様」

　源爺は声を高くしたが、猛女は振り返らない。どんどん登って、その尻は瞬《また》く間に小さくなって行った。

「くっ」

　不安の解けぬ源爺は留吉《とめきち》と顔を見合わせた。そこへ突如《とつじょ》、頭上から雷のごとき喚声が降り落ちてきた。

「何事じゃ」

　二人は文字通り仰天《ぎょうてん》した。

　梯子を登り切りつつあった景も、この大音声《だいおんじょう》には動転した。

（なんだよ）

　と、目鼻立ちまでくっきりとわかる眞鍋の兵たちを見渡したとき、この女の待ちに待った瞬間がついに訪れた。

「皆、見てみい。さすがは姫さんや、えっらい別嬪《べっぴん》さんやで」

眞鍋の兵の一人が、感極まったように叫んだ。他の兵も一斉に、

「おいよ！」

と賛同の叫びで応じた。

目の前でいよいよ鮮明となった景の美貌に対する感嘆であった。

（いいわあ、この感じ）

縄梯子の上で景は、しみじみと目を閉じ、我が美貌への称賛が降り注ぐのを全身で受け止めた。

（源爺の言ったこと、まさしく真《まこと》であった）

目を開けて、廻船の源爺を見下ろした。が、ここで喜色は表さない。歓声を上げ続ける泉州兵たちを目で示し、

（困った奴らだよ）

とでも言いたげに渋面《しぶめん》を作って見せた。

女の見え透いた芝居に、源爺は景に迫る危機も忘れ、心中で苦笑する一方、驚きもしていた。この海賊の姫御前《ひめごぜ》を上乗りに誘うため、泉州者の女の好みを多少大げさに言ったつもりだったし、泉州に海賊がいるかどうかも知らなかった。しかし、いま海

賊衆が見せる狂騒ぶりはどうだ。

（思うた以上じゃ）

かといって、源爺もその驚きを顔には出さない。

申した通りにございましょう、とばかりに神妙な顔を作り、うなずいて見せた。

大騒ぎの中、他国者の太田兵馬《ひょうま》はひとり安宅で醒《さ》め切っている。

（こんな醜女《しこめ》に、泉州の馬鹿どもは何を騒いでおる）

不快げに景の暑苦しいほど凹凸のはっきりした顔を見下ろした。女は、目と鼻の先まで登ってきている。

「能島殿よ」

「ん？」

と、女海賊はいまにも笑みで綻《ほころ》びそうな口を突き出してきた。

「廻船の海賊衆は、そなただけか」

太田が訊きたいのはこのことだ。他に海賊衆が潜んでいれば、後で面倒なことになる。すると醜女は暢気《のんき》な調子で答えた。

「そうだよ。だったらどうした」

「左様か」

太田は残忍に笑うと、楯板で死角になった腰の刀へ密《ひそ》かに手を掛けた。

この上乗りと申す者さえいなくなれば、眞鍋の兵も言うことを聞くはずである。醜女の顔を斬《き》り割り、門徒どもを皆殺しにするのだ。

「ならば、これを喰らえ」

抜刀するや、頭上で大きく振り被った。

眞鍋の兵は歓声に代わって、わっと驚きの声を上げた。だが、とっさのことで動けない。

廻船の門徒たちも同前だ。はるか頭上での突然の出来事に目を見張ることしかできなかった。

「姉ちゃん」

留吉が叫んだ。それと同時に太田が、

「海賊、死ねや」

怒号とともに刀を振り下ろした刹那《せつな》、

「だと思ったんだよな」

景は迫る刀を見上げてにやりと笑った。と見るや、縄梯子から外した右手を鋭く振り上げた。

「ぐっ」

と太田が呻《うめ》いたときには、その左目に景の手甲《てっこう》から走り出た小柄《こづか》が突き立っている。

何をされた、と思う間もなく、振り下ろした刀の柄《つか》を手首ごと摑《つか》まれた。

「放せ」

太田は苦悶《くもん》しながら振りほどこうとするが、海賊の女はよほどの大力なのか、柄と手首を摑んだその右手を離そうとしない。

「ひ弱な奴め」

景はせせら笑うと、左手をも縄梯子から外して、もがく太田の手首を握った。大力の女に両手で捕えられ、太田も逃れようがなかった。

景の反撃はまだ終わらない。さらに両足を縄梯子からはずした。安宅の船腹を両足で踏み締め、足だけを登らせていった。

もう誰の目にも、景の狙いは明らかである。景は太田の腕を、あたかも安宅から垂れ下がった縄のごとく扱い、両足を最も力の込められる位置へ置いたのだ。太田の体は楯板の上で「へ」の字に折れ曲がり、太田を離さぬ景は「し」の字を描いていた。

「狼藉者《ろうぜきもの》めが」

つぶやく景の両眼には、太田を震え上がらせるほどの無慈悲な色が宿っている。

「このオレに刃《やいば》を向けて、ただで済むと思うなよ」

低く言うなり、船腹を踏んだ両の脚に力を込め、力任せに背中も仰《の》け反《ぞ》らせた。

「止《や》めろっ」

太田は泣きをいれたが、景は聞かない。太田の手首をへし折らんばかりに握り締めると、

「もはや、遅い」

脚と背中を一気に伸びきらせた。その途端、太田の体は船外へ引き摺《ず》り出され、二人はもつれながら急降下した。

「難波の潮を相伴《しょうばん》せい」

景は、みるみる迫る海面を睨《にら》んで吠《ほ》えた。数寸のところで顎《あご》を引き、頭の天辺《てっぺん》から海中に突っ込んだ。

高々と上がった水柱に、安宅の兵と廻船の門徒たちはどよめいた。

一同が船外に身を乗り出すうち、水柱は波紋となり、やがて海面は元の静けさを取り戻した。だが、太田はもとより景の体も、一向に浮かび上がってくる様子はなかった。

門徒たちと兵は息を詰めて海面を見守った。堪《こら》え切れずに息を吸っても、海は依然

として穏やかなままであった。

――まさか相討ちか。

兵は鳴りを潜めて顔を見合わせた。しかし、門徒の誰一人としてそう思うものはいない。

(必ず姿を現すわ)

源爺は、わずかに笑みを浮かべていた。

(姫様は、あれを携《い》え、再び姿を現すに決まっておる)

と一点に目を凝らしたとき、海面を割って女は飛び出してきた。掲げた左手は、首《く》級《び》の髻《もとどり》をつかんでいる。乱髪を振って水気を飛ばすや、安宅の兵に向かって叫び上げた。

「これなる太田兵馬、海賊衆の定法を蔑《ないがし》ろにしたゆえ、討ち取った」

眞鍋の兵はどっと歓声を上げた。景は続けて声を放つ。

「これより安宅に参る。まずはこの首級受け取れ」

腕を振り、太田の首級を投げ上げた。

27

主人を呼びに行った岩太《いわた》は、甲板上に建てられた「屋形《やかた》」と呼ばれる小屋の中で困《こう》じ果てていた。

織田家の太田が、能島《のしま》村上の姫の上乗《うわの》りする廻船を停止させた一件は、すでに伝えてある。ところが主人は長々と寝そべったまま、何らの関心も示さなかった。

「旦那《だんな》よお、ええかげん起きてくださいや」

岩太が揺すっても、面倒臭がって全然起きようとしない。

そのはずである。岩太は、景《きょう》から廻船の主を明かされる前に、この屋形へと飛び込んできている。主が門徒だと知れば、この主人とて跳ね起きたかも知れないが、知らぬ身では寝そべったままでいるほかない。

起きようとしないのには別の理由もあった。織田家家臣の太田を侮《あなど》り切っている。眞鍋《まなべ》の兵が太田の下知を無視するかのような調子でいるのは、主人のこの態度に倣《なら》っているからと言ってよかった。

このときも、

「どうせ太田の阿呆《あほ》が阿呆なことしよんやろ」

と言うと、岩太を追い払うように手を振った。

「旦那ぁ」

途方《とほう》に暮れた岩太は立ち上がり、肘《ひじ》を枕《まくら》に寝そべる主人を困った顔で眺めた。が、その後には、思わず相好《そうごう》が崩れてしまうのをどうすることもできない。

(わしらが旦那は日本一じょ)

一人悦《えつ》に入《い》っていた。

主人は武装でいるが、どういうわけか全身を覆《おお》い尽くす具足《ぐそく》を用いない。いつも兵たちとほぼ同じ、胴丸に籠手《こて》と脛当《すねあ》てを付けたばかりの姿でいた。

だが、体軀《たいく》は兵どもとは比べものにならない。

軀幹《くかん》長大で、草摺《くさずり》から伸びる長い脚は帆柱のごとく太く、大蛇が巻き付いているかのように腿《もも》が盛り上がっていた。脛当てから覗《のぞ》く脛は鞠《まり》を付けたかと思うほどに張っており、足首に至るにつれて急激に細くなっていく。力強さと敏捷性《びんしょうせい》を兼ね備えた脚であった。

袖《そで》を付けず剝き出しになった肩の肉は瘤《こぶ》のように隆起している。二の腕もまた啞然とするほど太かった。戦場で主人に付き従う岩太は、これが剛力を備えながらも鞭《むち》と見紛《みまが》うばかりになるのを知っていた。敵に出会えば、あるときは疾風《はやて》のごとく斬り裂き、あるときは岩石のごとく跳ね返す。戦場においては悪鬼そのものの、最も理想的な戦闘者がここにいた。

この男が泉州海賊、眞鍋家の当主、眞鍋七五三兵衛《しめのひょうえ》であった。眞鍋家の系図によると、このとき三十二歳。

その眞鍋海賊の親玉は、

「太田の阿呆にやらせといたらええんやし。船でも何でも止めさせたらええんじょ」

いまにも震い付かんばかりの風でいる岩太に、依然としておっくうそうな声で応じている。

そこに、いま一人、兵が飛び込んできた。

「旦那、えらいこっちゃ」

「あん？」

七五三兵衛はようやくむくりと頭を起こした。「えらいこっちゃ」とは言いながら、その兵の声音が何やら愉快げな色を帯びていたからだ。陽気なことは大好きである。

見れば、兵は興奮し切って笑みまで浮かべている。相当な快事に違いない。

「どないしてん」

生き生きと目を輝かせて七五三兵衛が促すと、兵は鼻の穴を広げつつ注進した。

「太田の阿呆が首級《くび》になりよりましたで」

「ええっ」

七五三兵衛は小さな屋形が吹っ飛ぶほどの驚愕《きょうがく》の声を上げた。

いくら侮り切っているからといって、織田信長の家臣をみすみす死なせていいはずがない。すでに眞鍋家は織田家に従っているのだ。当主の身としては、とんちんかんな兵どものように呑気《のんき》に構えてはいられない。

「不味《あかな》いよ」

傍に置いた三尺五寸の大太刀を引っ摑むや、泡を食って屋形から飛び出した。

不思議なことに、岩太たち二人の家臣は主人の狼狽《ろうばい》に同調することはなかった。後から馳《は》せ付けた兵などは、あろうことか、げらげら笑い出している。

変事に遭遇した主人が大声を上げてあたふたするのは毎度のことだ。悪鬼のごとき男に似合わぬその滑稽《こっけい》な姿に、始めは驚いていた岩太までもが哄笑しながら主人を追っていた。

「不味《あかな》いよ」

と叫ぶ声は、景にも届いた。

景は安宅の甲板で胡坐《あぐら》をかいている。目の前には、小柄《こづか》の突き刺さった太田の首級が据えてあった。

（さあ来い、眞鍋家の当主よ）

ぐいと顎を上げた。上乗りを無視した狼藉者を討ち取ったのだ。後ろめたさはまったくない。

無論、景とて織田家の家臣を討ち取ったことが何を意味するかは分かっている。刀《とう》槍《そう》を執っての争いに突入するやも知れぬ。兵どもは歓声をもって迎えたが、当主の出方次第によっては、ここにいる全員を相手にすることになる。

もっとも、いまの景の心を占めているのは戦沙汰《いくさざた》のことではない。俄然強いのは、眞鍋家の当主を値踏みしたいという思いの方だ。

（早う姿を見せよ）

屋形に向けた欲深げな目に力を込めたときである。その戸口から巨大な獣でも暴れ出たかのように、一人の男が猛烈な勢いで駆け出してきた。

（あれか）

景は覚えず目を見張った。

悲鳴とも雄叫《おたけ》びともつかぬ唸《うな》り声を上げながら、剛刀を持った腕を振り回して突進してくる男は、弟の景親《かげちか》よりもさらに長身の、六尺（約180センチ）をゆうに越す巨躯《きょく》であった。その巨躯に似合いの肉の付き様で、景はこの男の武勇が即座に分かった。

顔はと見ると、景に負けぬほどの巨眼に太い眉が迫り、通った鼻筋もまた太い。髷《まげ》を結い損ねた鬢髪《びんぱつ》はそそけ立ち、閻魔《えんま》のごとき面構《つらがま》えだ。その面つきと巨躯、まさに破格といっていい。

（これが眞鍋家の当主か）

が、待ちに待った男が近くに迫っても、どうしたことか、景の胸の内には何らのときめきも生じてこなかった。

（この手合いかよ）

むしろ大きく落胆していた。

男はいかに破格とはいえ、海賊としてはそう珍しい型ではない。一回り体は小さいが、この類《たぐ》いの男ならば能島にもいる。雑兵《ぞうひょう》のごとき軽装も、どこか能島の兵を思い起こさせた。自分と同じく真っ黒に陽に焼けた肌も何だか嫌だ。

（こりゃ駄目だ）

醜女の常で、男の容姿にひどくうるさい。毛利《もうり》家の児玉就英《こだまなりひで》のごとく、女性《にょしょう》のような色白の肌と、涼やかな目元を持ち、挙措《きょそ》動作も優雅な男がいい。もっとましな海賊の泉州男がいるはずだ。

（さっさとこの大男と話を付けて、堺《さかい》に行こう）

見切りを付けていると、

「あぁっ」

と大男が膝《ひざ》を突きざま眼前に滑り込み、太田の首級を抱え上げた。

（騒々しい奴だな）

景は眉を顰《ひそ》めたが、その物言いはさらに軽躁《けいそう》だった。

「太田の阿呆、首級になってもうてるやんけ」

首級を右に左に傾けながら、野太い声で叫ぶ。その後を、げらげらと笑いながら追ってきた兵の言い草も、伊予国《いよのくに》生まれの景を驚かせた。

「言《ゆ》うたやん」

到底、主人に対するとは思えぬ言葉で返す。能島の者も礼儀をわきまえないものの、これほどひどい口の利《き》き方はしない。

（もしかしてこの大男、眞鍋家の当主じゃないのか）

と、景は怪しんだほどだが、眞鍋の兵どもが発する泉州弁の特性がこれであった。極端に敬語が少ない。

もともと方言には敬語が少ないが、泉州弁はそれが際立《きわだ》っている。多くの場合、言葉でなく、わずかな発音の違いで敬意を済ますという横着《おうちゃく》さで、他国者《よそもの》にはまず通じない。

このため、景には解《げ》せぬことながら、「言うたやん」と言われた主人の方は、家臣の物言いを咎《とが》めることなく喚《わめ》き続けた。

「何をしてくれてんや。胴はどこ行ってん、胴は」

膝立ちのまま、あちこちに首をねじ向けて胴を探し、慌《あわ》てふためいた様子を丸出しにした。

(がさつだねえ)

景は自分のことは棚に上げ、粗野な男が嫌いだ。深い落胆の溜息《ためいき》をついたが、説明だけはしてやらねばならない。

「胴は海に置いてきた」

事もなげに言うと、大男はきっと振り向き、

「お前《わが》がやったんけ」

と、怒鳴った途端に馬鹿のように口を開けた。このとき初めて景に気付いたようだった。

太田の胴のことなど一瞬にして頭から吹き飛んだらしい。まじまじと景の顔を覗き込みながら、首級を小脇に抱えて言った。

「えらい別嬪やんか。お前が能島村上の姫さんけ」

見切りを付けた男でも、こう言われて、うれしくなくはない。

「景という。お前が眞鍋家の当主か」

苦笑しつつ名乗って念のため確かめると、大男は我に返ったように顔を引き締め、大きく点頭した。

「せや、わしが眞鍋七五三兵衛じゃ」

（やっぱりこいつかよ）

景は改めてがっかりした。

しかし大男は巨眼を見開き、顔を近付けながらしつこく問うてくる。

「能島村上の姫さんちゅうたら武吉《たけよ》っさんの娘け」

口調からいって、大男は直接父に会ったことがあるわけではなさそうだ。武吉っさんなどと近所の隠居《いんきょ》でも呼ぶかのような言い様に少々腹も立ったが、一方では海賊王、村上武吉の名が泉州にまで及んでいることに満足した。

「ああ、村上武吉の娘だ」

うなずき、太田の首級を顎で指した。

「この者、海賊衆の定法を破ったゆえ、首級にした。海の掟を知らぬところ、おのれの家臣ではないのじゃな」

七五三兵衛の顔がみるみる曇った。ころころと表情の変わる男である。小脇に抱えた首級を甲板にどんと置き、

「誰がこんなぼんくら、家臣にするかい。信長のおっさんの家臣じょ」

と吐き捨てた。

(ほう)

景は心中で小さく唸《うな》った。

訛りのせいもあろうが、言葉からは信長に対する畏《おそ》れがいささかも感じられない。景は七五三兵衛に面従腹背《めんじゅうふくはい》といった陰気なものではなく、剛腹《ごうふく》で陽気な海賊らしい一面を見た気がした。それは即ち、景の父、村上武吉を特徴付ける性質でもあった。

(海賊としては、いいな)

覚えず頬を緩めた。

そこに、

「おい七五三《しめ》、どないしてん」

と地響きのごとき大声が飛んできた。声は廻船の前方を遮《さえぎ》るもう一艘《そう》の安宅から響いてくる。

（なんだ）

と座したまま仰《あお》ぎ見れば、これまた大兵《だいひょう》の男が楯板から身を乗り出していた。

頭を剃《そ》り上げているので、いまひとつ年齢が分かりにくいが、顔つきからして五十過ぎというところだろうか。しかしその体軀は山のようで、七五三兵衛と遜色《そんしょく》なかった。目を凝らせば、巨眼と太い鼻も七五三兵衛そっくりである。異なるのは、額から頬にかけて、ざっくりと深い刀傷があることで、遠目に見ても分かった。

景は思わずぷっと噴き出した。

（親子だ、こいつら）

景の踏んだ通り、この坊主頭《ぼうず》の大入道が七五三兵衛の父、眞鍋道夢斎《どうむさい》であった。

道夢斎は天正四年（一五七六年）のこの時点ですでに名高く、後世まとめられた『南紀徳川史』には、次のように記されている。

「此《この》道夢斎、かくれなき大男、大力、下泉上泉に此人に敵対する者、曾《かつ》て無御座候《ござなくそうろう》由《よし》」

下泉上泉とは、かつて泉州が二つに分かれて統治されていたからで、要するに泉州全体のことである。先に述べたが、淡輪《たんのわ》周辺の豪族、淡輪氏や深日《ふけ》氏などを支配下に置き、泉州で眞鍋家に敵対する者なしと言わしめたのが、この道夢斎であった。同書によると、後に織田信長はその武辺と手腕を評価し、御次之間《おつぎのま》に入れて様々相談事をするほど信頼を置いたという。

「お父《てい》、太田の阿呆がこないなりよったんやし」

七五三兵衛は太田の首級を掲げて見せた。

「だあっ」

と奇声を上げる道夢斎の反応は、息子とそっくり同じである。「太田の阿呆、首級になっちゃあらあ。胴はどこ行ったんじゃ、胴は」と右往左往した。

（こいつら親子そろって）

景は馬鹿《ばか》らしくなった。

七五三兵衛はそんな父の姿に慣れ切っているらしい。かえって落ち着きを取り戻した様子で告げた。

「胴は海に置いてきたんやと。討ち取ったんは能島村上の姫やて」

無論、道夢斎も村上武吉の名を知っている。

「武吉《たけよ》っさんの娘け。どこにいてんねん」

「ここだ」

景は面倒だったが腰を上げた。すると道夢斎の狂騒はすぐに止み、

「えっらい別嬪やんか」

(またこれか)

景は困ったような顔をした。

ここまで賛辞を連発されると、むしろ小馬鹿にされている気さえしてくる。それでも怒るわけにもいかず、居心地の悪いまま苦笑いしていると、道夢斎は意外な名前を持ち出してきた。

「能島村上言うたら、小早川家とも縁があるやろ。乃美宗勝《のみむねか》っつぁんを知ってるか」

(何であの禿《はげ》のことを)

景は怪訝《けげん》に思ったが、

「宗勝?　知ってるけど」

一応答えると、

「ほんまけ!　わし好きやし、あいつ」

道夢斎は吠えるように叫んで、聞きたくもない宗勝の奇功まで喚き始めた。

聞けば、宗勝は厳島合戦の開戦直前の未明、敵の陶晴賢《すえはるかた》の加勢と偽り、島を封鎖する陶方の船団に大胆にも自らの船を寄せ、活路を開いたという。これにより毛利家の奇襲は成った。

この話は、同時代の者には有名だったらしく、『武家万代記』や『名将言行録』などの諸書にも記された。宗勝よりも年嵩《としかさ》だが、五歳と違わぬ道夢斎の耳にも届いていた。

「ええ度胸してらよ」

勝手に語り始めた道夢斎はそう話を締めくくると、しきりにうなずき感心の体を示した。

（あの禿《はげ》がねえ）

景も宗勝をちょっと見直す気になったが、自分が生まれる前の武功など、いまはどうでもいい。さっさとここを切り抜け、門徒どもを大坂本願寺に引き渡して堺へ行きたい。船端に歩み寄り、長老らしき道夢斎に声を張り上げた。

「七五三兵衛には伝えたが、太田とやらは海賊の定法を破ったゆえ、首級にした。能島村上の上乗りじゃ。早々に安宅をどけ、本願寺までの道をあけよ」

「門徒け、お前ら」

素《す》っ頓狂《とんきょう》な声を上げたのは、七五三兵衛の方だ。

（知らなかったのか）

景は、はたと七五三兵衛の方に振り向いた。

どうやら、景が太田を討ち取った後、急を報《しら》せに屋形へ駆け込んで行った兵は、そのことを伝えていなかったものらしい。

織田家の家臣が討ち取られただけで、あれだけ大騒ぎしたのだ。雑兵どもとは異なり、当主としては看過できないとも考えられる。出方を変えて襲いかかって来てもおかしくはない。

（どう出る）

見れば、長身の景をはるかに超す身の丈の七五三兵衛が、巨眼をこれでもかというぐらいに見開き、こちらを見据えている。どういう考えでいるかは察しが付かないが、佇《たたず》まいだけでこれほどの迫力を醸《かも》し出す男を、これまで見たことがない。

背後の安宅から道夢斎が叫ぶ。

「おい七五三《しめ》、どないする気や。お前《わ》が《が》当主なんやさかい、お前決めぇ」

その余裕ある語調に、景がとっさに刀を抜くべく右の掌《てのひら》をゆっくりと開くと、七五

三兵衛が、
「分《わ》ぁってるわ」
と怒鳴り上げ、景のいる船端へとゆっくり歩を進めてきた。
（来るなら来い）
景は自らの正当を信じ切っている。近付いてくる巨軀を、不敵な眼差《まなざ》しで見上げた。
廻船の門徒たちは、景が織田家の家臣を首級にしたときから生きた心地もしない。
能島村上の威勢がどれほどであろうとも、織田家のそれとは比べものにもならない
はずだ。ならば眞鍋家という海賊衆が従わねばならないのは、能島村上か、織田家か。
子供にでも分かることである。
（我らが廻船は、この大船二艘にたちまち押し潰《つぶ》される）
源爺《げんじい》は、そう観念した。
だが七五三兵衛は、どういうわけか睨《にら》み上げる景の脇《わき》を素通りして、船端の楯板か
ら半身を乗り出した。門徒たちを一瞥《いちべつ》し、次いで道夢斎に向き直って発したのは、源
爺の予想とはまるで逆の言葉である。
「まあ、しゃあないの。門徒ちゅうたかてしょうもない廻船やし、能島村上の上乗り
付きじゃ。太田の阿呆が上乗りの定法破ったちゅうんやったら通すほかないやろ」

(海賊だなあ)

景は胸のすく思いでいた。

海賊衆は陸の武士とは異なるしきたりの中で生きている。それは織田家が勃興《ぼっこう》する遥《はる》か以前からの習わしであった。その前では、天下を窺《うかが》う信長でさえ無力と言えた。景の見るところ、七五三兵衛もほとんど習性のごとく、海のしきたりに準じようとしていた。それは判断に悩む様子のない、軽々とした口調からも分かる。

(オレがお前でも同じことをする)

向こうの安宅からも、「そやな」と道夢斎が言ってくる。これも七五三兵衛と同じく、さも当然といった調子であった。

(いい海賊衆だ)

景は目を細めていた。ところが道夢斎が続けて、

「せやけど、えらいことんなったしよお。太田の首級のこと織田家の者《もん》にどない言おかの」

と、ついでのように言ったとき、景をがっかりさせることが起こった。

七五三兵衛が「なあ」と意味不明の嘆き声を上げて、頭を抱えてしまったのだ。挙句、景に泣き言まで言いだした。

「しかし太田も阿呆やけど、なんも首級にすることたぁないやろ。腕一本斬り落として済ましちゃる訳にいけへんかったんかいな」

景と門徒を見逃すとは言ったものの、いまさらながらに太田の一件を信長にどう言い訳するか考え始めたらしい。

(なんだよ)

景は渋い顔で、

「腕一本で済ます？　できるか、そんなこと」

ふてくされたように言ったものの、

(それもそうだな)

と思い直してもいた。あの程度の男ならば生かしたまま捻《ね》じ伏せることもできたはずだ。

(ちょっとやり過ぎたかな)

大して後悔するでもなく思ったが、七五三兵衛は景の返事など、どうでもいいのか大きな背を折り曲げて泣き言を続けていた。

「えらいことじょ。どないしょ」

景の容姿を目《ま》の当たりにしたときといい、いまといい、これほど心中を露《あら》わにする男も珍しい。景でさえ、良き武者振りの男の前では、せめてもの格好をつける。

（随分開けっぴろげな男だな）

そこに、取り囲んだ兵の中から岩太が進み出て、主人に気安く助言した。

「旦那、太田の首級なんぞ、ほいちゅうて捨てたらええんですて、ほいって」

無意味である。ならば太田の姿が忽然《こつぜん》と消えたのを、どう説明するというのだ。

「岩太！　このド阿呆《あほ》」

七五三兵衛は怒鳴りつけ、再び頭を抱えた。そんな姿を見せ付けられ、景は何だか心苦しくなってきた。

「何か、あとあと大変そうだな」

伏せた七五三兵衛の顔を覗き込むようにして尋ねた。

だが、七五三兵衛はこれほど困り切った様子を見せつけるくせに、

「ええねんええねん。太田が悪いんやさかい。かめへん」

と、ぶんぶんと手を振りながら言う。口調が変わってさばさばと言うところ、心底、「かめへん」と思っているらしい。

こう出られると、景もますます済まない気になってくる。大男を落ち着かせるつもりで、「なんで織田家の者が乗ってたんだよ」と事の起こりから訊《き》いてみた。

七五三兵衛は顔を上げ、

「わしら織田家に従うてんねん。そんで太田の阿呆は、天王寺砦《てんのうじとりで》に入れっちゅう信長のおっさんの下知を伝えに来よったんやし」

天王寺砦は、本願寺にいた雑賀党《さいかとう》の首領、鈴木孫市《まごいち》が目撃した急造の砦である。このとき、眞鍋七五三兵衛は大坂本願寺の包囲戦に動員されようとしていたのだ。

28

「七五三兵衛《しめのひょうえ》は天正四年五月、信長公へ被召出《めしいだされ》」

『南紀徳川史』にはこう記されている。

眞鍋《まなべ》家が信長に従ったのは八年前のことだ。そのころの当主は道夢斎《どうむさい》で、今回の動員令は、七五三兵衛が当主として受ける信長からの初めての下知であった。

この信長の命を眞鍋家の本拠、泉州淡輪《たんのわ》まで伝えにきた使者が、太田兵馬《ひょうま》という織田家の家臣だった。七五三兵衛と道夢斎は安宅二艘《そう》に分乗し、太田も乗せて天王寺砦に向かい航行していたのだという。

「そこで出会《でお》たんが、能島《のしま》の姫さんちゅうわけや」

「使者だったのか」

景《きょう》は、もうすっかり同情していた。

使者といえば普通、家中でもかなりの身分の者が任ぜられる。能島城に、毛利家の重臣である児玉就英《こだまなりひで》と、小早川《こばやかわ》家の乃美宗勝《のみむねかつ》が遣わされたのと同様である。太田の装束からして織田家でも結構な身分だと察せられたが、思った以上の相手だったようだ。

「それが首級《くび》になって帰ってきたら、信長の奴《やつ》も怒るよな」

景は上目遣いで七五三兵衛を見た。大男は困り顔のまま、

「せやねん。おっさん無茶しよるらしさかい、わしんとこ攻めて来るかも知れへん。眞鍋家ちゅうても、おっさんとこに比べたら小っちゃい家やから、へっ、言《ちゅ》うて、すぐやられてまうわ」

と、こぼす。一向に強がる様子がなかった。

しかし、この物言いで景は大男の性根が初めて分かった気がした。眞鍋七五三兵衛という男は、自らの武辺と軍勢に強烈な自負があるのだ。

（こいつは、勁《つよ》い男だ）

でなければ、ここまで弱さを露《あら》わにはできない。仮に信長が攻めてくるなら平然と立ち向かい、その武勇を突き付けるに違いない。景は七五三兵衛の心底に、ふてぶて

しく胡坐《あぐら》をかく不敵な性根を見た。

夫としては嫌でも、自ら恃《たの》む男は武者として好むところだ。ならば、この大男を遇するには、ただ一つの方法しかない。

「斬り合いと行こう。いいんだぞ、オレたちを通さなくたって」

命を軽々と扱い、簡単に闘争に及ぶさまは、当時日本に来たヨーロッパ人が一様に驚嘆するところだ。景もまたそんな日本人の一人である。あっさりとそう言ってのけた。

すると七五三兵衛は、景が思った通りの不敵な性根で応じた。

「斬り合いか？　こんな阿呆のためにそんなことできるかい」

さも、くだらなげに口を歪《ゆが》めて言い、

「姫さんはもう行き。あとはわしらの話やさかい」

景に二の句を継がせず話を切り上げると、道夢斎に向かい、「お父《てい》、こいつらもう行かすで」と呼び掛けた。

道夢斎もさらりと応じる。「ああ、いま安宅どかしちゃら」と兵に指図し、ほどなく道夢斎の乗った安宅が動き始めた。

「あぁっ」

と声を上げたのは門徒たちだ。行く手をふさいでいた巨船が道をあけ、再び本願寺の威容が姿を現した。

「姉ちゃん、船が動いた、動いたぞ」

留吉《とめきち》ははしゃいだが、景は七五三兵衛に一歩踏み込み言い放った。

「なら、オレが天王寺砦とやらに行ってやろう」

「あん？」

七五三兵衛は意味するところが分からず、顔を突き出した。

「天王寺砦に行って、事の顚末《てんまつ》を信長に伝えてやる」

合戦に臨むかのような調子で、景はそう豪語した。

太田を斬った当人が申し開きするなら、眞鍋家への責めは少しは軽くなるはずだ。にもかかわらず、七五三兵衛は何らの反応も示さない。

（こら出まかせやな）

と、真《ま》に受けなかった。

七五三兵衛は、太田の首級を見て騒いだり、泣き言を言ったりしながら、冷えた頭で景を観察し尽くしている。これまでのやり取りからして、能島の姫は真っ直《す》ぐな気性で、眞鍋家の行く末にも心を痛めているようだが、思慮には欠ける。

（阿呆やさかい、のぼせて口が滑ったんやろ）

自分も相当軽躁《けいそう》な男のくせして、景の心中をそう推し量った。

七五三兵衛は、景の目を醒《さ》まさせるべく、真顔を作った。

「せやけど姫さん、斬られてまうかも知れへんど」

「構わん」

景はまったく動じない。まじろぎもせず、正面から七五三兵衛を見上げて明言した。

「オレは狼藉者《ろうぜきもの》を討ち取ったのだ。非は向こうにある。オレを斬るというのなら、織田家の方こそ悪い」

七五三兵衛はやれやれというように肩をすくめた。相手が悪いのだから、斬られたとて本望だとでもいうのか。女の言うことはどこか浮《うわ》ついて聞こえる。

「何や、よう分かれへん道理やけど、止《や》めといた方がええわ」

「だから構わんと申しておる」

景はしつこく食い下がった。太刀の柄頭《つかがしら》を勢いよく叩《たた》き、

「オレもむざと斬られはせん」

この威勢の良さに、眞鍋の兵どもは、「おお」とどよめいたが、七五三兵衛はもはや呆《あき》れ果てた。

(好きにせえ)

どうせ土壇場《どたんば》になって我に返り、命乞《いのちご》いするのが関の山だろう。この訳の分からぬ姫を諭すのを止め、おざなりに言った。

「ほたら天王寺砦に、大坂攻めの総大将の原田直政《はらだなおまさ》ちゅうもんがいてるさかい、そいつに言上してくれや」

景は拍子抜けした。

「原田？　なんだ、信長じゃないのか。難波にいるんじゃないのかよ。どこにいるんだ、あいつ」

「んなもん知るかい」

七五三兵衛は面倒臭そうに怒鳴ったが、天正四年（一五七六年）五月初旬のこのとき、信長は京にいる。

二カ月ほど前に普請《ふしん》中の安土《あづち》城へと居を移した信長は、工事の監督に飽きたのか、四月末日に京に入った。その建築欲は京でも旺盛《おうせい》で、関白の二条晴良の屋敷が空地になったのを幸い、新たな邸宅の普請を家臣に命じたりした。

景は信長に会えないと分かり、わずかに落胆したものの、「分かった」とうなずき、条件を一つ出した。

「だが、先に門徒どもを大坂へと送り届けねばならん。その後で天王寺砦に行く」

七五三兵衛にしてみれば、景が本願寺へ行ったきり姿をくらましてしまうことも考えられたが、端《はな》から当てにはしていない。

「かめへん、かめへん。それで頼まあ」

と、尻《しり》に聞かせる返答が、景を苛立《いらだ》たせた。

(信用してないな、七五三兵衛の奴)

顔を曇らせていると、

「姉者!」

と切羽詰まった声が飛んできた。

後方を見やれば、関船《せきぶね》一艘と、二艘の小早《こばや》が追い付くところであった。関船の船首には長身の男がいる。

「景親《かげちか》か」

景は叫び返した。

思わぬところで景に出くわし、驚いたのは景親の引き連れてきた能島の兵である。兵は景親から、今回の船出の目的を知らされていない。

「姫様をお捜しじゃったのか!」

姫が安宅の虜《とりこ》になったと見て、一斉に刀を抜き放った。同時に、眞鍋の兵も抜き連ねた。

となれば景はいつもの通り、能島の兵を脅し上げねばならない。

「お前ら、助太刀《すけだち》なんぞ邪魔しに来てみろ。ただじゃ済まんぞ」

一喝するや、能島の兵は見る間に大人しくなった。

「おのれらも刀引かんかい」

七五三兵衛も眞鍋の兵を押さえ、景親を顎《あご》で指しながら景に訊いた。

「何じゃありゃ。われの舎弟《しゃてい》け」

「ああ、そうだ」

と答える景は、もう意地悪そうに微笑《ほほえ》んでいる。含み笑いを七五三兵衛に向けた。

「オレが必ず行くとの証《あかし》に人質をやろう」

景のこの表情で、七五三兵衛は能島の姫が普段、弟をどう扱っているかを即座に理解した。女の覚悟はどうやら本物らしい。

「あいつのことやな」

同じく含み笑いしながら目で景親を示すと、

「いかにも」

と、景はうなずく。

「貰《もろ》とくわ」

七五三兵衛もうなずいた。最後にもう一度、二人してうなずき合った。

後刻、「姉者、姉者！」と、眞鍋の兵に羽交《はが》い締めにされた景親が、七五三兵衛の安宅の船尾で半泣きの声を上げていた。

安宅は動き始めている。徐々に小さくなっていく弟の姿を、廻船へ戻っていた景は、

「へっ」

と目を細めて眺めていた。

廻船では、景に並んで源爺《げんじい》や留吉ら門徒が、景親を見送っている。景親が率いてきた小早と関船も廻船の脇に居残っており、その上では、兵たちが去り行く景親に目をやっていた。連れ去られていくのは、景親ひとりであった。

「姉者ぁ」

遠くなるにつれ、弟の声は一層哀れさを増す。

そんな弟の姿は、姉にとって娯楽以外の何物でもない。笑みを深くして、くっくと声を漏らしていると、七五三兵衛が景親を押し退け、大声で呼び掛けてきた。

「ほたら姫さん、天王寺砦で待ってんで」

「おう」

景は返答するや、船内に身を翻《ひるがえ》した。

（急がねば）

日も傾いているのに、余計な用事が増えてしまった。大坂本願寺に門徒たちを放り込み、天王寺砦とやらで申し開きした後、堺《さかい》に行くつもりだ。それも日のあるうちにである。

「姉者、天王寺砦ってなんじゃ」

という景親の声が小さく聞こえてくるが、景の耳にはもう入らない。門徒と兵に向かって下知を放った。

「漕《こ》げや者ども、一刻も早う大坂にたどり着け」

その頭からは、織田家に申し開きすれば身におよぶであろう危険のことなど消し飛んでいた。


（第二巻につづく）

和田竜著
忍びの国
時は戦国。伊賀攻略を狙う織田信雄軍。迎え撃つ伊賀忍び団。知略と武力の激突。圧倒的スリルと迫力の歴史エンターテインメント。

城山三郎著
秀吉と武吉
—目を上げれば海—
瀬戸内海の海賊総大将・村上武吉は、豊臣秀吉の天下統一から己れの集団を守るためいかに戦ったか。転換期の指導者像を問う長編。

司馬遼太郎著
梟の城
直木賞受賞
信長、秀吉……権力者たちの陰で、凄絶な死闘を展開する二人の忍者の生きざまを通して、かげろうの如き彼らの実像を活写した長編。

司馬遼太郎著
国盗り物語
（一〜四）
貧しい油売りから美濃国主になった斎藤道三、天才的な知略で天下統一を計った織田信長。新時代を拓く先鋒となった英雄たちの生涯。

司馬遼太郎著
新史 太閤記
（上・下）
日本史上、最もたくみに人の心を捉えた〝人蕩し〟の天才、豊臣秀吉の生涯を、冷徹な史眼と新鮮な感覚で描く最も現代的な太閤記。

司馬遼太郎著
関ケ原
（上・中・下）
古今最大の戦闘となった天下分け目の決戦の過程を描いて、家康・三成の権謀の渦中で命運を賭した戦国諸雄の人間像を浮彫りにする。

司馬遼太郎著
人斬り以蔵

幕末の混乱の中で、劣等感から命ぜられるままに人を斬る男の激情と苦悩を描く表題作ほか変革期に生きた人間像に焦点をあてた7編。

司馬遼太郎著
燃えよ剣（上・下）

組織作りの異才によって、新選組を最強の集団へ作りあげてゆく〝バラガキのトシ〟——剣に生き剣に死んだ新選組副長土方歳三の生涯。

司馬遼太郎著
花神（上・中・下）

周防の村医から一転して官軍総司令官となり、維新の渦中で非業の死をとげた、日本近代兵制の創始者大村益次郎の波瀾の生涯を描く。

司馬遼太郎著
果心居士の幻術

戦国時代の武将たちに利用され、やがて殺されていった忍者たちを描く表題作など、歴史に埋もれた興味深い人物や事件を発掘する。

司馬遼太郎著
胡蝶の夢（一〜四）

巨大な組織・江戸幕府が崩壊してゆく——この激動期に、時代が求める〝蘭学〟という鋭いメスで身分社会を切り裂いていった男たち。

司馬遼太郎著
風神の門（上・下）

猿飛佐助の影となって徳川に立向った忍者霧隠才蔵と真田十勇士たち。屈曲した情熱を秘めた忍者たちの人間味あふれる波瀾の生涯。

池波正太郎
平岩弓枝
松本清張
山本周五郎
宮部みゆき 著

親不孝長屋
―人情時代小説傑作選―

親の心、子知らず、子の心、親知らず――。名うての人情ものの名手五人が親子の情愛を描く。感涙必至の人情時代小説、名品五編。

池波正太郎
宇江佐真理
乙川優三郎
北原亞以子
村上元三 著

世話焼き長屋
―人情時代小説傑作選―

鼻つまみの変人亭主には、なぜか辛抱強い女房がついている。長屋や横丁で今宵も誰かが世話を焼く。感動必至の人情小説、傑作五編。

池波正太郎
山本一力
北原亞以子
山本周五郎
藤沢周平 著

たそがれ長屋
―人情時代小説傑作選―

老いてこそわかる人生の味がある。長屋を舞台に、武士と町人、男と女、それぞれの人生のたそがれ時を描いた傑作時代小説五編。

池波正太郎
乙川優三郎
五味康祐
宇江佐真理
山本周五郎
柴田錬三郎 著

がんこ長屋
―人情時代小説傑作選―

腕は磨けど、人生の儚さ。刀鍛冶、火術師、蕎麦切り名人……それぞれの矜持が導く男と女の運命。きらり技輝る、傑作六編を精選。

池波正太郎ほか著
縄田一男編

まんぷく長屋
―食欲文学傑作選―

鰻、羊羹、そして親友……!? 命に代えても食べたい、極上の美味とは。池波正太郎、筒井康隆、山田風太郎らの傑作七編を精選。

池波正太郎・柴田錬三郎
織田作之助・平岩弓枝著
山田風太郎
縄田一男 編

忍者だもの
―忍法小説五番勝負―

思わず涙こぼす日もある。狂おしいほどの恋だってする。忍者もまた、ひとりの男――。笑って泣ける、傑作〈忍び〉小説5編を厳選。

藤沢周平著

用心棒日月抄

故あって人を斬り脱藩、刺客に追われながらの用心棒稼業。が、巷間を騒がす赤穂浪人の動きが又八郎の請負う仕事にも深い影を……。

藤沢周平著

孤剣
用心棒日月抄

お家の大事と密命を帯び、再び藩を出奔――用心棒稼業で身を養い、江戸の町を駆ける青江又八郎を次々襲う怪事件。シリーズ第二作。

藤沢周平著

刺客
用心棒日月抄

藩士の非違をさぐる陰の組織を抹殺するために放たれた刺客たちと対決する好漢青江又八郎。著者の代表作《用心棒シリーズ》第三作。

藤沢周平著

凶刃
用心棒日月抄

若かりし用心棒稼業の日々は今は遠い。青江又八郎の平穏な日常を破ったのは、密命を帯びての江戸出府下命だった。シリーズ第四作。

藤沢周平著

消えた女
―彫師伊之助捕物覚え―

親分の娘おようの行方をさぐる元岡っ引の前で次々と起る怪事件。その裏には材木商と役人の黒いつながりが……。シリーズ第一作。

藤沢周平著

密謀
（上・下）

天下分け目の関ケ原決戦に、三成と密約がありながら上杉勢が参戦しなかったのはなぜか？　歴史の謎を解明する話題の戦国ドラマ。

宮城谷昌光著
風は山河より（一〜六）
すべてはこの男の決断から始まった。後の徳川泰平の世へと繋がる英傑たちの活躍を描く歴史巨編。中国歴史小説の巨匠初の戦国日本。

宮城谷昌光著
新三河物語（上・中・下）
三方原、長篠、大坂の陣。家康の覇業の影で身命を賭して奉公を続けた大久保一族。彼らの宿運と家康の真の姿を描く戦国歴史巨編。

吉川英治著
三国志（一）
—桃園の巻—
劉備・関羽・曹操・諸葛孔明ら英傑たちの物語が今、幕を開ける！　これを読まずして「三国志」は語れない。不滅の歴史ロマン巨編。

渡邉義浩著
三国志ナビ
英傑達の死闘を地図で解説。詳細な人物紹介。登場する武器、官職、系図などを図解。吉川版を基に「三国志」を徹底解剖する最強ガイド。

吉川英治著
宮本武蔵（一）
関ケ原の落人となり、故郷でも身を追われ、憎しみに荒ぶる野獣、武蔵。彼はいかに求道し剣豪となり得たのか。若さ滾る、第一幕！

吉川英治著
新・平家物語（一〜二十）
平清盛、源頼朝、義経、静御前。源平盛衰のドラマを雄渾な筆致で描く、全国民必読の大河小説。大きな文字で読みやすい全二十巻。

村《むら》上《かみ》海《かい》賊《ぞく》の娘《むすめ》(一)

新潮文庫　わ－10－2

平成二十八年七月一日発行
平成二十八年七月十六日三刷

著者　和《わ》田《だ》竜《りょう》

発行者　佐藤隆信
発行所　株式会社 新潮社
郵便番号　一六二—八七一一
東京都新宿区矢来町七一
電話　編集部(〇三)三二六六—五四四〇
　　　読者係(〇三)三二六六—五一一一
http://www.shinchosha.co.jp

価格はカバーに表示してあります。

乱丁・落丁本は、ご面倒ですが小社読者係宛ご送付ください。送料小社負担にてお取替えいたします。

印刷・大日本印刷株式会社　製本・憲専堂製本株式会社

ISBN978-4-10-134978-7 C0193